Family Connections Resource Guide

Pam Schiller

A Division of The McGraw-Hill Companies

Columbus, Ohio

www.sra4kids.com

SRA/McGraw-Hill

A Division of The **McGraw·Hill** *Companies*

Send all inquiries to:
SRA/McGraw-Hill
8787 Orion Place
Columbus, OH 43240-4027

Printed in the United States of America.

ISBN 0-07-584304-8

1 2 3 4 5 6 7 8 9 MAZ 07 06 05 04 03 02

Table of Contents

Table of Contents

Introduction

Research on the effects of family involvement in children's schooling indicates that there is a positive correlation between the degree of family involvement and academic performance. There are also data indicating that family involvement has a positive effect on cognitive development, self-esteem, motivation, and self-discipline.

Communicating with families to solicit their help is an important aspect of the early-childhood teacher's job. Families are, for the most part, curious about what their children are doing and how they can help. Encourage families to support their children's cognitive and literacy development. Offer the following suggestions:

- Talk with children and engage them in conversations.
- Help children name objects in their environment (labeling).
- Read and re-read stories.
- Encourage children to recount experiences and describe ideas that are important to them.
- Visit libraries and museums together; talk about what children see and do.
- Provide opportunities for children to draw and print, using a variety of implements, such as markers, crayons, and pencils.

Some teachers choose to use weekly or monthly newsletters to keep families involved and informed. This *Resource Guide* includes a Family Letter—in English and Spanish—for each theme in ***The DLM Early Childhood Express.*** Other teachers send home activities from time to time. To facilitate these shared activities, this *Resource Guide* includes Monthly Activities—in English and Spanish—beginning with September and ending with August.

To further encourage families to share in the learning process with their children, this *Resource Guide* includes 18 Takehome Storybooks related to ***The DLM Early Childhood Express*** themes and Takehome Alphabet Books for each letter of the English and Spanish alphabets. The Alphabet Patterns also can be used to make Letter Books, Miniature *Alphabet Wall Cards,* and materials for various games.

Keeping the lines of communication open between the school and the home maintains children's motivation to learn. Sharing their learning experiences with their families deepens children's love of learning. The tools provided for you in this *Family Connections Resource Guide* enable you to do both.

In addition to maintaining communication between school and the home, school staff should take every opportunity to make sure that families are partners with the school in their children's education:

- Encourage and facilitate family involvement in all aspects of the program.
- Meet with families to talk about any areas in which their children are experiencing difficulty.
- Work with families to develop instructional plans for summer or other vacation periods.
- Encourage families to become their children's advocates.
- Encourage families to spend time in the school observing and helping their own children.

Family Letters and Monthly Activities

Family Letters

The 36 Family Letters in this *Resource Guide* allow you to communicate weekly with families. Provided in English and Spanish, the Family Letters

- share information about each theme
- request materials for upcoming in-class activities
- provide rhymes and songs to share
- list books to find at the library

Monthly Activities

The Monthly Activities make wonderful refrigerator magnets that allow the activities to be displayed in a convenient and visible location in each child's home. You have the option of making the magnets with the children at school or sending the pages home for families to work on together. The Monthly Activities are provided in English and in Spanish and are easily photocopied.

If you make the magnets at school, after the children have colored and decorated their own activities pages, you can reinforce the paper by laminating it or gluing it on cardboard before cutting it out. Secure a strip of magnetic tape to the back of the cardboard to complete the magnet.

If you send the Monthly Activities home for families to assemble, family members can make the magnets using the following instructions, which are included on every Monthly Activities page.

Instructions

1. Allow your child to color or decorate the list of activities.
2. Cut out the list along the dotted line.
3. If you wish to reinforce the paper list, help your child glue the cutout to a piece of cardboard.
4. Allow the glued list to dry for several minutes, and then help your child cut the cardboard into the shape of the list.
5. Attach the list to the refrigerator by using magnets or by attaching a strip of magnetic tape to the back of the list.
6. Use the list as a reminder to do these fun activities with your child throughout the month!

Dear Family,

The Theme for This Week: School Days

Welcome to Pre-K! This will be an exciting year for you and your child. By staying involved in what your child is doing at school and by working on activities together, you can ensure that this will be a successful year for both of you.

The lessons for the first week introduce the children to the routines that will shape their school days. Understanding how their days will be structured will calm many of their fears about school.

Learning Together

- Talk with your child about your school days. Share memories about special teachers, friends, and events.
- Encourage your child to show you around his or her school. We will go on a school tour on Tuesday. After your child has participated in the class tour, he or she should be able to show you the library, cafeteria, nurse's office, restrooms, and so on.
- Ask your child each day what he or she did at school today. Ask questions that require your child to give his or her answer some thought. For example: What new thing did you learn? What was your favorite activity?
- Sing "Mary Had a Little Lamb" with your child. Talk about the humor of an animal at school. You may also want to discuss rules with your child. We will be talking about rules at school this week.

Mary had a little lamb,
Little lamb, little lamb.
Mary had a little lamb;
Its fleece was white as snow.

Everywhere that Mary went,
Mary went, Mary went.
Everywhere that Mary went,
The lamb was sure to go.

Visiting the Library

All My Feelings at Preschool: Nathan's Day by Susan Conlin and Susan Levine Friedman

Arthur Goes to School by Marc Brown

Chrysanthemum by Kevin Henkes

Helping Out

Please send a baby picture of your child to class to be used for a lesson next week. Label the picture on the back with your child's name and age. Pictures will be returned.

Estimada familia:

Tema de la semana: En la escuela

¡Bienvenidos al Preescolar! Este será un año emocionante para usted y su hijo(a). Al participar en las actividades escolares de su hijo(a) y al trabajar junto con él o ella, usted podrá estar seguro de que será un año exitoso para ambos.

Las lecciones de la primera semana presentan a los niños las rutinas que moldearán sus días en la escuela. El entender cómo sus días estarán estructurados le ayudará a su hijo(a) a vencer la ansiedad y temor común en los primeros días en la escuela.

Aprendiendo juntos

- Hable con su hijo(a) sobre cuando usted asistía a la escuela. Comparta recuerdos especiales de maestros, amigos y eventos.
- Aliente a su hijo(a) a que le muestre el plantel de la escuela. Nosotros haremos el recorrido el martes. Después de que su hijo haya participado en el recorrido, él mismo podrá mostrarle la biblioteca, cafetería, la oficina de la enfermería, los sanitarios y demás.
- Pregunte a su hijo(a) después de clases qué fue lo que hizo en la escuela. Haga preguntas en las que su hijo le pueda dar su propia respuesta. Por ejemplo, ¿qué cosas nuevas aprendiste? ¿cuál fue tu actividad favorita?
- Cante con su hijo la canción "María tenía una corderita". Comente lo gracioso que puede ser que un animalito vaya a la escuela. Quizás usted quiera hablar con su hijo acerca de reglas de conducta. En esta semana nosotros hablaremos sobre las reglas de conducta en la escuela.

María tenía una corderita
corderita, corderita.
María tenía una corderita
Su pelaje era blanco como la nieve.

A todas partes que iba María.
iba María, iba María,
a todas partes que iba María,
la corderita también quería ir.

De visita en la biblioteca

Mis primeros colores, mis pimeras formas
por Isidro y Elena Sánchez

Un cuento curioso de colores
por Joanne y David Wylie

La clasa de dibujo por Tomie dePaola

Hoy fue mi primer día de escuela
por Karen Frandsen

Ayudando

Por favor, envíe una fotografía de su hijo(a) de cuando era bebé. La usaremos para una actividad en una lección de la próxima semana. Y, por favor, escriba el nombre y la edad de su hijo(a) al reverso de la fotografía, la cual le será devuelta.

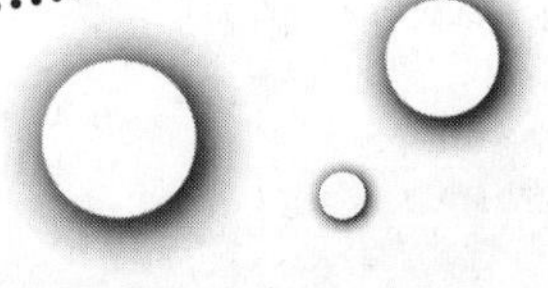

Instructions

1. Allow your child to color or decorate the list of activities.
2. Cut out the list along the dotted line.
3. If you wish to reinforce the paper list, help your child glue the cutout to a piece of cardboard.
4. Allow the glued list to dry for several minutes, and then help your child cut the cardboard into the shape of the list.
5. Attach the list to the refrigerator by using magnets or by attaching a strip of magnetic tape to the back of the list.
6. Use the list as a reminder to do these fun activities with your child throughout the month!

cut

September

- Show your child a calendar page for September. Point out any special dates for your family, such as birthdays, celebrations, and holidays. Explain that Labor Day is always the first Monday in the month of September and that it is a day set aside for workers to rest and have fun. What will you do on Labor Day?
- Make faces in the mirror with your child: frown, laugh, cross your eyes, and wink. Challenge your child to copy your expressions.
- Make up new words for common objects around the house. For example, a pillow might become a happy-nappy.

- Make a family puzzle by making a copy of a family photograph. Glue the copy to a piece of posterboard, and cut it into puzzle pieces.
- Read your favorite childhood story to your child.

Instrucciones

1. Permita que su hijo(a) decore o colore la lista de actividades.
2. Sigan la línea de puntos y recorten la lista.
3. Si ustedes desean, pueden reforzar la lista de papel con cartoncillo. Ayude a su hijo(a) a que la pegue en un pedazo de cartoncillo para reforzarla.
4. Deje que el cartoncillo se seque por unos minutos, y después ayude a su hijo(a) para que recorte la lista.
5. Peguen la lista de actividades en su refrigerador o nevera. Utilicen imanes o tiras de cinta magnética al reverso del cartoncillo para pegarlo al refrigerador.
6. ¡Utilice la lista como recordatorio para hacer estas actividades divertidas con su hijo(a) durante el transcurso del mes!

cut

Septiembre

- Muestre a su hijo(a) el mes de septiembre en el calendario. Señale las fechas importantes para su familia como cumpleaños, celebraciones y días festivos. Explíquele que el "Día del Trabajo" se celebra siempre el primer lunes del mes de septiembre, y que es un día para que los trabajadores descansen y se diviertan. ¿Qué harán ustedes en el día del trabajo?
- "Haga caritas" en el espejo con su hijo(a) como, por ejemplo, fruncir el entrecejo, reír, hacer bizcos y parpadear. Desafíe a su hijo(a) a que imite sus expresiones faciales.
- Formen palabras nuevas para darles nombres a los objetos comunes de la casa, por ejemplo, a una almohada podrían llamarla "siesta feliz".
- Hagan un rompecabezas con la fotocopia de una fotografía de la familia. Peguen la copia de la foto sobre un papel cartulina y córtenla en pedazos del tamaño de un rompecabezas.
- Lea la historia favorita de su infancia a su hijo(a).

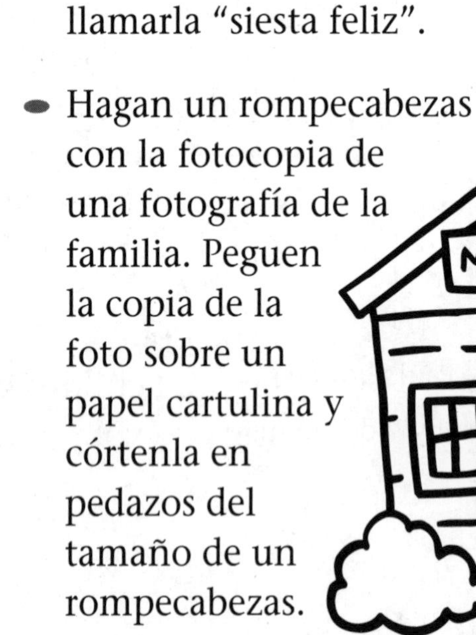

cut

Dear Family,

The Theme for This Week: Physical Me

This week we will talk about something children know much about—themselves! As they become more aware of their own individual identities, children become curious about their physical bodies. The lessons this week introduce the vocabulary and concepts needed to understand and discuss various body parts, such as the eyes and the ears.

Learning Together

- Show your child pictures of himself or herself as a baby. Discuss how he or she has grown. What can he or she do now that he or she couldn't do as a baby?
- Play a game of catch with your child. Call attention to how he or she uses his or her arms and legs to play the game.
- Invite your child to help you prepare a meal. Discuss the senses involved in cooking and eating. Call attention to the textures, smells, and colors of the foods you prepare. What sounds are involved in the preparation of food? How do the different foods taste?
- Say the chant "My Body Talks" with your child. We will learn this chant at school this week.

When I want to say "hello,"
I wave my hand.
When I want to say "no,"
I shake my head from side to side.
When I want to say "yes,"
I nod my head up and down.
When I want to say "good job,"
I stick up my thumb.
When I want to say "I disagree,"
I turn my thumb down.
When I want to celebrate a success,
I clap my hands.
When I want to say "enough" or "stop,"
I hold my hand out.
When I want to say "come here,"
I wave my hand toward me.
When I want to say "good-bye,"
I wave my hand or blow you a kiss.
When I want to say "I love you,"
I wrap my arms around you and squeeze.

Visiting the Library

My Feet by Aliki

Hear Your Heart by Paul Showers

Eyes, Nose, Fingers, Toes by Judy Hindley

Hooray for Me by Remy Charlip

No Mirrors in My Nana's House by Ysaye Barnwell

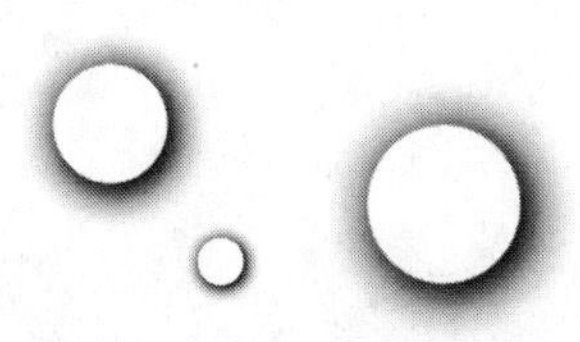

Estimada familia:

Tema de la semana: Mi físico

En esta semana hablaremos sobre algo muy familiar para los niños: ¡su apariencia física! Conforme ellos toman mayor conciencia de su propia identidad individual, los niños también adquieren curiosidad por las partes de su cuerpo. Las lecciones de esta semana incluyen una introducción al vocabulario y los conceptos necesarios para entender y hablar sobre las diferentes partes de su cuerpo tales como: los ojos y las orejas.

Aprendiendo juntos

- Muestre a su hijo fotografías de cuando él(ella) era bebé. Dígale cúanto ha crecido y cómo ha cambiado a través de su crecimiento. Además mencione las cosas que él(ella) puede hacer ahora que no hacía antes cuando era bebé.
- Practique con su hijo juegos que requieran atrapar objetos. Dígale que ponga atención a cómo usa sus brazos y piernas para jugar.
- Invite a su hijo(a) a que le ayude a preparar las comidas. Mencione los sentidos que se utilizan para las siguientes actividades: en la preparación de la comida y al comer. Dígale que preste atención a las texturas, olores y colores de las comidas que usted prepara. ¿Qué sonidos se relacionan con la preparación de la comida? ¿Cúales son los sabores de los diferentes alimentos?
- Junto con su hijo(a) repita la canción "Mi cuerpo habla". Esta semana nosotros aprenderemos dicha canción en la escuela.

Cuando yo quiero decir "hola",
yo agito mi mano.
Cuando yo quiero decir "no",
yo muevo mi cabeza de un lado a otro.
Cuando yo quiero decir "sí",
yo muevo mi cabeza de arriba hacia abajo.
Cuando yo quiero decir "bien hecho",
yo levanto mi dedo pulgar.
Cuando yo quiero decir que "no estoy de acuerdo", yo bajo mi dedo pulgar.
Cuando yo quiero celebrar un triunfo,
yo aplaudo con mis manos.
Cuando yo quiero decir "suficiente",
yo levanto la palma de mi mano.
Cuando yo quiero decir "ven aquí",
yo señalo con mi mano hacia mí.
Cuando yo quiero decir "adiós",
yo agito mi mano o te envío un beso.
Cuando yo quiero decir "te quiero",
yo te abrazo y te aprieto.

De visita en la biblioteca

¿Sabes por qué? por Rita Culla

El viejo reloj por Fernando Alfonso

La fiesta de compleaños
por Ana María Pecanins

Soy importante
por Elvia Vargas Trujillo

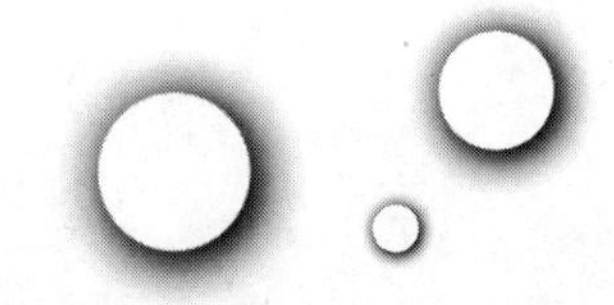

Dear Family,

The Theme for This Week: Thinking and Feeling Me

Last week, we talked about the children's physical bodies. This week, we move from the concrete to the more abstract as the children learn about their emotions and appropriate ways to express those emotions. We learn that people express emotions in many ways: with words, physical movements, and/or facial expressions.

Learning Together

- Discuss your feelings and emotions with your child, and talk with your child about his or her feelings. How does he or she feel after accomplishing a new skill, such as learning to tie his or her shoes?
- As problems arise during the week, discuss your solutions with your child when appropriate. Problem solving has a structure that is virtually unseen unless discussed. Step 1: We recognize that we have a problem and brainstorm solutions. Step 2: We select a solution based on our best judgment. Step 3: We try our solution. Step 4: We decide if it worked. Step 5: If the problem is not solved, we start again at Step 2.
- Sing "If You're Happy and You Know It" with your child. If you don't know the tune, ask your child to teach it to you.

If you're happy and you know it,
clap your hands. *(Clap hands twice.)*
If you're happy and you know it,
clap your hands. *(Repeat.)*
If you're happy and you know it,
then your face will surely show it. *(Point to face.)*
If you're happy and you know it,
clap your hands. *(Clap hands twice.)*

(Other verses:)
Stomp your feet. *(Stomp feet twice.)*
Shout hooray! *(Raise hands and shout.)*
Point to a circle.
Point to the color red.

Visiting the Library

Amazing Grace by Mary Hoffman

A Chair for My Mother by Vera Williams

Feelings by Aliki

Some Things Are Scary by Florence Heide

The Little Engine That Could by Watty Piper

Helping Out

We will need a family photograph next week. If you don't have a photograph of your family, please draw your family members on a piece of paper and send that to school. This will work fine.

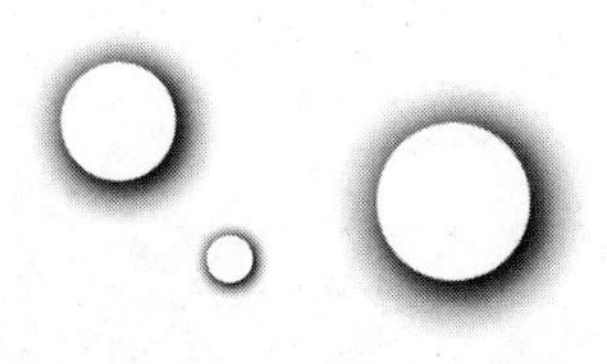

Estimada familia:

Tema de la semana: Pensando en mí y mis sentimientos

La semana pasada, hablamos sobre el aspecto físico del cuerpo. Esta semana, pasaremos de lo concreto a lo más abstracto, a medida que los niños aprenden acerca de sus emociones y las formas apropiadas para expresar esas emociones. Nosotros sabemos que las personas expresan sus emociones de diferentes maneras: con palabras, movimientos físicos y expresiones faciales.

Aprendiendo juntos

- Hable sobre sus sentimientos y emociones con su hijo(a) y acerca de los de él(ella). ¿Cómo se siente su niño(a) cuando aprende exitosamente una destreza nueva como, por ejemplo, cuando aprende a amarrarse las agujetas de los zapatos o hacer burbujas?
- Si surgen problemas en el transcurso de la semana, hable con su hijo(a) sobre las posibles soluciones. La solución de problemas tiene una estructura que es virtualmente invisible a menos de que se discuta. A continuación presentamos 5 pasos útiles a seguir en la solución de problemas: Paso 1: Reconocemos que existe el problema y generamos una lista de posibles soluciones. Paso 2: Escogemos una solución basada en nuestro mejor juicio. Paso 3: Ponemos en práctica nuestra solución. Paso 4: Decidimos si funcionó o no. Paso 5: Si el problema no se resolvió, iniciamos de nuevo el proceso comenzando con el paso 2.
- Cante con su hijo(a) "Si estás contento". Si usted no sabe la tonada o el ritmo, dígale a su hijo(a) que se la enseñe.

Si estás contento y lo sabes,
aplaudirás. *(Aplaude dos veces.)*
Si estás contento y lo sabes,
aplaudirás. *(Repite.)*
Si estás contento y lo sabes,
tu cara lo mostrará. *(Toca la cara.)*
Si estás contento y lo sabes,
aplaudirás. *(Aplaude dos veces.)*

(Versos adicionales)
¡Dar patadas en el suelo! *(Pisa fuerte dos veces.)*
Grita ¡Olé! *(Levántate la mano y grita.)*

Señala un círculo.
Señala el color rojo.

De visita en la biblioteca

La felicidad tiene sabor a miel por Giles Andreae y Vanessa Cabban

La abejita coja por Graciela González de Tapia

Digo lo que siento por Ana Luisa López Velasco

Ayudando

La próxima semana necesitaremos una fotografía de su familia. Si no tiene ninguna, por favor dibuje en papel a todos los miembros de su familia y envíelo a la escuela, el dibujo o fotografía serán muy útiles para esta actividad.

¡Muchas gracias!

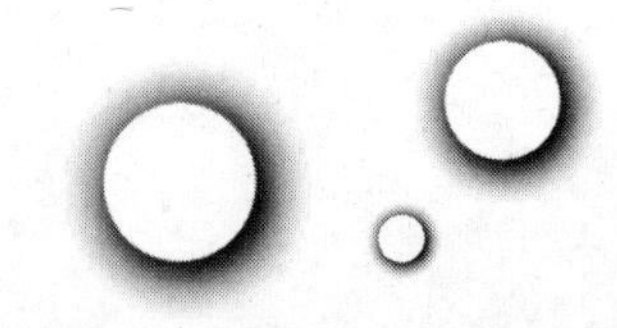

Dear Family,

The Theme for This Week: My Family

The definition of a *family* varies from person to person and from situation to situation. The lessons this week focus on exploring different types of families. The children begin to understand that although families are not all alike, there are some basic things that all families should offer, such as respect, love, support, shelter, comfort, understanding, and cooperation.

Learning Together

- Show your child pictures of your family. How many brothers or sisters do you have? What special names did you use to refer to your brothers or sisters? Where did you live? What was your home like? What special things did your family enjoy doing together?
- Discuss the job responsibilities in your family. Who cooks for the family? Who takes care of the yard? Who takes out the trash? What jobs does your child do to help the family?
- Discuss the size of the people in your family. Who is the tallest? Who is the shortest?
- Say the "I Help My Family" chant with your child.

I help my family when I can.
I fold the clothes.
I feed the dog.
I turn on the hose.
I crack the eggs.
I ice the cake.
Then I help eat
The good things we make.

Visiting the Library

Are You My Mother? by P. D. Eastman

Emerald Blue by Anne Marie Linden

Poppa's New Pants by Angela Medearis

Owl Moon by Jane Yolen

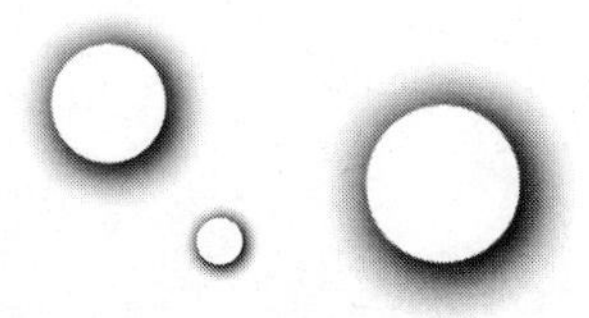

Estimada familia:

Tema de la semana: Mi familia

El concepto de familia varía de persona a persona y de situación a situación. Las lecciones de la semana estarán enfocadas en explorar los diferentes tipos de familia. En esta etapa, los niños empiezan a comprender que aunque no todas las familias son iguales, éstas deben ofrecer cosas básicas como: respeto, amor, apoyo, resguardo, consuelo, comprensión y cooperación.

Aprendiendo juntos

- Muestre a su hijo(a) fotografías de su propia familia. ¿Cúantos hermanos o hermanas tiene? ¿Qué nombres especiales utilizaba cuando se refería a sus hermanos o hermanas? ¿Dónde vivía? ¿Cómo era su casa? ¿Qué cosas especiales le gustaba hacer con su familia?
- Discuta las responsabilidades del quehacer doméstico en su familia. ¿Quién cocina para la familia? ¿Quién le da mantenimiento al jardin? ¿Quién saca la basura? ¿En qué quehaceres de la casa ayuda su hijo(a)?
- Opinen sobre la estatura de los miembros de su familia. ¿Quién es el más alto? ¿Quién es el más bajo?
- Cante con su hijo(a) "Ayudo a mi familia".

Ayudo a mi familia cuando puedo.
Doblo la ropa.
Al perro alimento.
El jardín riego.
Los huevos quiebro.
La torta adorna.
Luego ayudo a comer
todo lo que preparamos.

De visita en la biblioteca

Cuadros de familia por Carmen Lomas Garza

Abuela por Arthur Dorros

Yo puedo ayudar por Bonnie Worth

Dear Family,

The Theme for This Week: Fall/Autumn

This week we will talk about autumn. Although all geographic regions experience seasons, the seasons are not the same in every area, and we will talk about those differences. This week's activities encourage children to think about changes that occur through the autumn months (September, October, and November). By discussing the changes autumn brings, children develop a deeper appreciation of nature.

Learning Together

- Invite your child to help you rake the leaves. Discuss the colors, shapes, and sizes of the leaves. Encourage your child to find leaves that match in color, shape, and size. If you don't have leaves to rake, discuss the leaves on the trees around you or look for colorful foliage in magazines or books.
- As you put away summer clothing, such as sandals and swimsuits, discuss how your child's clothing needs are changing to adapt to the weather.
- Take your child on a walk around the neighborhood in search of signs of autumn, such as falling leaves, different types of flowers, weather and cloud conditions, and so on.
- Say "Fall Leaves Drifting Down" with your child. Discuss the role the wind plays in moving the leaves.

Leaves are drifting softly down;
They make a carpet on the ground.
Then, swish! The wind comes whistling by
And sends them dancing in the sky!

Visiting the Library

Three Tales of Three by Marilyn Helmer

Autumn Across America by Jim Arnosky

Autumn: An Alphabet Acrostic by Steven Schnur

Every Autumn Comes the Bear by Seymour Simon

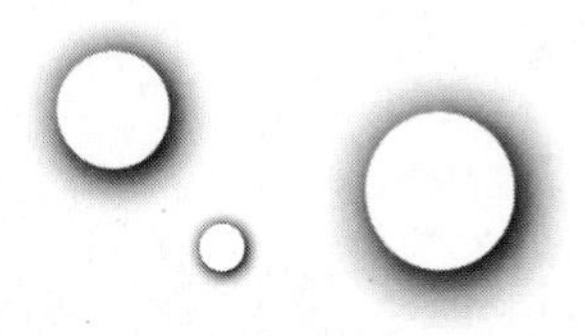

Estimada familia:

Tema de la semana: El otoño

En esta semana hablaremos sobre una estación del año en particular: "el otoño". Aunque en todas las regiones geográficas hay estaciones, éstas cambian dependiendo del área. En la clase, nosotros hablaremos acerca de estas diferencias. Las actividades de esta semana motivan a los niños a pensar acerca de los cambios que ocurren en los meses del otoño (septiembre, octubre, y noviembre). Al discutir los cambios que trae consigo el otoño, los niños desarrollarán un aprecio más intenso por la naturaleza.

Aprendiendo juntos

- Invite a su hijo a que le ayude a rastrillar las hojas de los árboles. Conversen sobre los colores, formas y tamaños de las hojas. Motive a su hijo(a) para que encuentre hojas semejantes en color, forma y tamaño. Si no hay hojas para rastrillar cerca de su casa, busquen hojas de los árboles en los alrededores o utilicen revistas y libros para encontrar y conversar sobre los follajes coloridos.
- A medida que guarde la ropa de verano, como las sandalias y trajes de baño, converse con él(ella) acerca de la necesidad de adaptarse al cambio de ropa de acuerdo a las necesidades del clima.
- Lleve a su hijo a dar un paseo alrededor de la vecindad y busque señales de otoño tales como hojas en el suelo, diferentes tipos de flores, clima, condiciones de las nubes y demás.
- Recite junto con su hijo(a) "Las hojas del otoño caen suavemente". Mencione cómo el viento hace que las hojas de los árboles se muevan.

Las hojas caen suavemente
y forman una alfombra en el suelo.
Luego, ¡zas! El viento pasa silbando
y las envía a bailar en el cielo.

De visita en la biblioteca

Oye al desierto por Pat Mora

El otoño del oso por Keizaburo Tejima

En casa antes de anochecer por Ian Beck

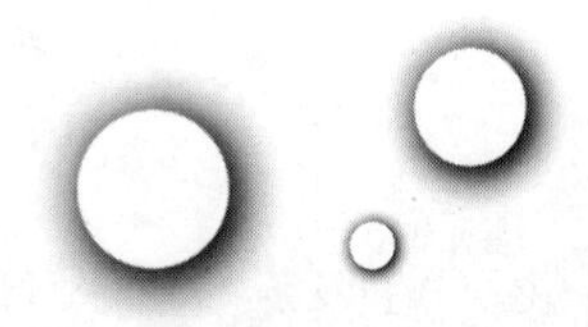

cut

Instructions

1. Allow your child to color or decorate the list of activities.
2. Cut out the list along the dotted line.
3. If you wish to reinforce the paper list, help your child glue the cutout to a piece of cardboard.
4. Allow the glued list to dry for several minutes, and then help your child cut the cardboard into the shape of the list.
5. Attach the list to the refrigerator by using magnets or by attaching a strip of magnetic tape to the back of the list.
6. Use the list as a reminder to do these fun activities with your child throughout the month!

October

- Show your child a calendar page for October. Point out any special dates for your family, such as birthdays, celebrations, and holidays. Explain that Columbus Day is celebrated on the second Monday in October and that it is a day set aside to celebrate Columbus's first voyage to America in 1492. Look through the calendar for other months that end with the letters *ber.*
- Talk with your child about the signs of fall. Collect leaves, and make a collage with those that your child likes best.
- Play The Opposite Game. Ask your child to do something, and instruct him or her to do the opposite. For example, you might say, "Shake your head no," and your child shakes his or her head "yes."
- Give your child a basket of buttons, and have him or her sort the buttons by colors, shapes, sizes, and numbers of holes.
- Place a common object such as a key in a sock. Encourage your child to identify the object simply by the way it feels.

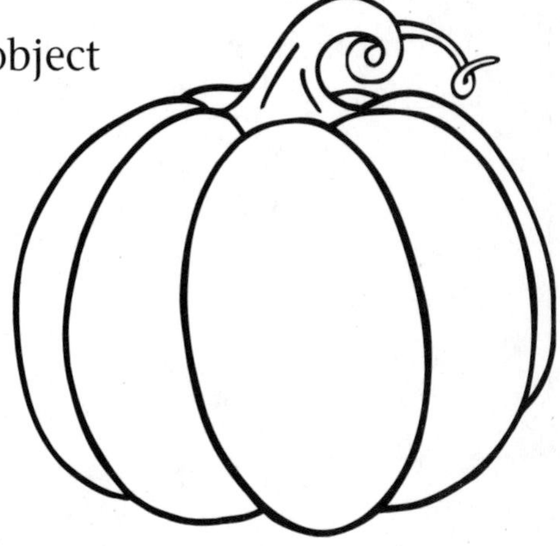

cut

Instrucciones

1. Permita que su hijo(a) decore o colore la lista de actividades.
2. Sigan la línea de puntos y recorten la lista.
3. Si ustedes desean, pueden reforzar la lista de papel con cartoncillo. Ayude a su hijo(a) a que la pegue en un pedazo de cartoncillo para reforzarla.
4. Deje que el cartoncillo se seque por unos minutos, y después ayude a su hijo(a) para que recorte la lista.
5. Peguen la lista de actividades en su refrigerador o nevera. Utilicen imanes o tiras de cinta magnética al reverso del cartoncillo para pegarlo al refrigerador.
6. ¡Utilice la lista como recordatorio para hacer estas actividades divertidas con su hijo(a) durante el transcurso del mes!

cut

Octubre

- Muestre a su hijo(a) el mes de octubre en el calendario. Señale las fechas especiales tales como cumpleaños, celebraciones y días festivos. Explíquele que el día de Cristóbal Colón se celebra el segundo lunes del mes de octubre y que es un día para festejar el primer viaje que hizo Cristóbal Colón a América en el año de 1492. Busquen en el calendario los meses que tengan la terminación *ber* (bre).
- Converse con su hijo(a) acerca de los indicios del otoño. Junten hojas y hagan un collage con las hojas que más le gusten a él(ella).
- Practiquen Juegos de contrarios. Pídale a su hijo(a) que haga algo y él(ella) tendrá que hacer lo contrario de lo que usted le pida. Por ejemplo, usted le pedirá: —Di no con la cabeza —y su hijo moverá la cabeza y dirá —sí.
- Déle una canasta con botones y déjelo(a) que los separe por colores, formas, tamaños y por el número de hoyitos que tengan.
- Ponga objetos comunes como una llave adentro de un calcetín y motive a su hijo(a) a que toque el calcetín para que adivine el nombre del objeto.

Dear Family,

The Theme for This Week: Friends

The children have made a number of friends at school by now. It is important for them to recognize the qualities and behaviors to look for in a friend. This week, we will discuss that sharing toys, listening, and sharing our feelings are important not only to a friendship, but also to creating a friendly, cooperative classroom environment.

Learning Together

- Encourage your child to talk about the friends he or she has made at school. Ask what your child likes about each friend.
- Have your child invite a friend over to play. Discuss things that your child and his or her friend did that were fun.
- Talk about your friends. Why are they your friends? What kind of things do you enjoy doing with your friends?
- Sing or say "Make New Friends" with your child. Talk about old friends and new friends.

Make new friends, but keep the old.
One is silver, and the other gold.

Visiting the Library

Horace and Morris, but Mostly Dolores by James Howe

Rosie and Michael by Judith Viorst

A Weekend with Wendell by Kevin Henkes

Ruby the Copycat by Peggy Rathmann

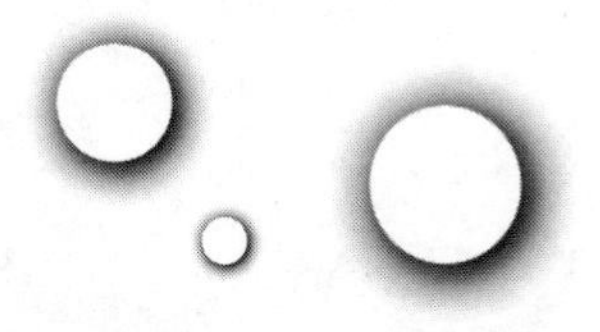

Estimada familia:

Tema de la semana: Amigos

Para estas fechas del año escolar los niños ya tienen muchos amigos en la escuela. Es muy importante para ellos reconocer las cualidades y comportamiento de sus amigos. Esta semana, nosotros discutiremos que compartir juguetes, escuchar y compartir nuestros sentimientos no sólo fomentan una amistad, sino que también crean un ambiente cooperativo y amistoso en la clase.

Aprendiendo juntos

- Aliente a su hijo(a) a que le platique sobre los amigos que ha hecho en la escuela. Pregúntele qué le gusta de cada uno de sus amigos.
- Deje que su hijo(a) invite a uno de sus amigos a jugar en casa. Converse acerca de las actividades que hicieron para divertirse.
- Hable usted sobre sus propios amigo(a)s. ¿Por qué son sus amigo(a)s? ¿Qué tipo de actividades disfruta y hace con sus amigo(a)s?
- Cante o recite junto con su hijo(a) "Amigos". Hable de sus viejos y nuevo(a)s amigo(a)s.

Dos amigos tengo yo.
Uno viejo que es un sol
y uno nuevo que es un lucero.

De visita en la biblioteca

Historia de un erizo por Asún Balzola

En el barrio por Alma Flor Ada

Lalo aprende a creer en sí mismo por Tania Verguer

Rupor, mono ve, mono hace por Peggy Rathmann

Dear Family,

The Theme for This Week: Pets

As children develop an appreciation for the world around them, they must also begin to understand the connection that animals and pets have to our world. This week, the lessons introduce children to a variety of pets and give them the opportunity to share their own pet-related stories. As children's social skills grow stronger, so should their ability to respect all living things.

Learning Together

- If you have a pet at home, give your child some responsibility in the care of that pet. Perhaps your child can help feed the pet, help brush its fur, or help the pet get some exercise.
- Talk with your child about a pet he or she might like to have. What would he or she name the pet? Where would the pet sleep?
- Visit a pet store. Discuss the various pet choices. How are the pets alike? How are they different?
- Sing "Bingo" with your child. Encourage your child to think of another five-letter name for a dog. Can you sing this song and insert the new dog's name?

There was a farmer had a dog,
And Bingo was its name-O.
B-I-N-G-O,
B-I-N-G-O,
B-I-N-G-O,
And Bingo was its name-O.

Visiting the Library

The Mixed-Up Chameleon by Eric Carle

The Mysterious Tadpole by Stephen Kellogg

The Story of Mrs. Lovewright and Purrless Her Cat by Lore Segal

Pet Show by Ezra Jack Keats

Helping Out

Cut pictures of possible pets from magazines and send them to school with your child. We will be using them in a lesson this week. If you have a picture of a family pet, send it to school this week as well.

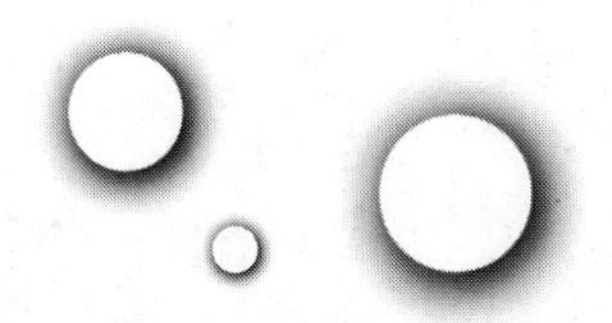

Estimada familia:

Tema de la semana: Las mascotas

A medida que los niños desarrollan un aprecio por el mundo que los rodea, tambien comienzan a comprender las relaciones que existen entre los animales y las mascotas con nuestro mundo. En esta semana, las lecciones nos servirán para introducir una gran variedad de mascotas y, además, se les dará la oportunidad de intercambiar con sus compañeros de clase historias de mascotas. Conforme los niños fortalecen sus relaciones sociales, de la misma manera debe fortalecerse su respeto por todos los seres vivos.

Aprendiendo juntos

- Si usted tiene una mascota en su casa, déle a su hijo(a) alguna de las responsabilidades para el cuidado de la mascota. Por lo menos, podría ayudar a darle la comida, cepillarle el pelo, o sacar la mascota para que haga ejercicio.
- Platique con su hijo(a) acerca de qué mascota le gustaría tener en casa. ¿Qué nombre le daría a la mascota? ¿Dónde dormiría?
- Visite la tienda de mascotas. Converse sobre las diferentes opciones de mascotas. ¿En qué se parecen las mascotas unas a otras? ¿En qué son diferentes?
- Cante junto con su hijo(a) "Bingo". Motívele a que piense en otro nombre de cinco-letras para un perro. ¿Puede cantar esta canción incluyendo el nombre nuevo de cinco letras?

Había un perro en una granja,
y Bingo se llamaba.
B-I-N-G-O,
B-I-N-G-O,
B-I-N-G-O,
y Bingo se llamaba.

De visita en la biblioteca

Mi perrito por Inez Greene

Los animales pueden ser amigos especiales por Dorothy Chlad

Pedro aprende a nadar por Sara Gerson

Mi loro por Salvador Torres

Ayudando

Recorte fotografías de las posibles mascotas y envíelas con su hijo(a) a la escuela. Nosotros utilizaremos fotografías de mascotas en la semana para nuestra lección. Si tiene una fotografía de su mascota, por favor envíela también a la escuela esta semana. ¡Muchas gracias!

Dear Family,

The Theme for This Week: Opposites

Children easily recognize the qualities that make things similar or alike. It is important for them to begin to notice differences. The lessons this week help the children discuss opposites and identify qualities that define opposites. Children have the opportunity to develop their vocabularies as they learn about location opposites, such as *in* and *out*.

Learning Together

- Point out opposites that occur naturally during the day, such as opening and closing doors, turning lights on and off, and standing and sitting.
- Play a game with your child while in the car. Name one member of a pair of opposites, and see if your child can name the other member of the pair.
- Send your child on an opposite scavenger hunt. Give him or her a basket of items that contains easily-found opposites such a thin book, an empty bottle, and a short stick. Ask your child to find a thick book, a full bottle, and a long stick.
- Say the action rhyme "Sometimes" with your child. Discuss *big* and *little*. Find things around the house that are big and little.

Sometimes I am tall,	*(Stand tall.)*
Sometimes I am small.	*(Crouch low.)*
Sometimes I am very, very, tall.	*(Stand on tiptoes.)*
Sometimes I am very, very small.	*(Crouch and lower head.)*
Sometimes tall,	*(Stand tall.)*
Sometimes small.	*(Crouch down.)*
Sometimes neither tall nor small.	*(Stand normally.)*

Visiting the Library

Exactly the Opposite by Tana Hoban

Is It Larger? Is It Smaller? by Tana Hoban

Black and White by David Macaulay

Moving Day by Robert Kalan

Helping Out

Next week, we will study colors. We would like for the children to wear a clothing item of a specific color each day. Here is the schedule: Monday—blue, Tuesday—red, Wednesday—yellow, Thursday—green, and Friday—orange.

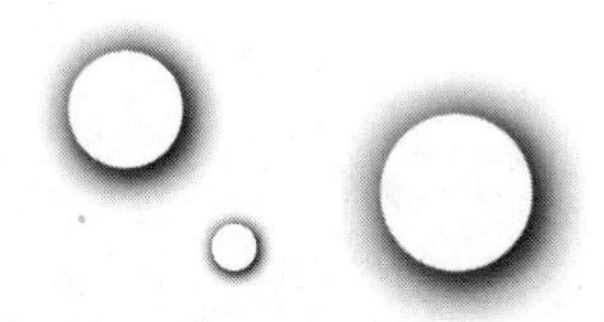

Estimada familia:

Tema de la semana: Conceptos opuestos

Los niños fácilmente reconocen las similitudes y diferencias de las cosas. Es muy importante que empiecen a notar las diferencias. Las lecciones de esta semana ayudarán a que los niños conversen sobre conceptos opuestos y, además, identifiquen las cualidades que definen los conceptos opuestos. Los niños tienen oportunidad de desarrollar su vocabulario mientras aprenden acerca de ubicaciones opuestas, tales como *adentro* y *afuera*.

Aprendiendo juntos

- Señale los conceptos opuestos que ocurren en forma natural en el día como abrir y cerrar puertas, prender y apagar luces, pararse y sentarse.
- Trate de jugar un juego con su hijo(a) cuando esté en el coche con él o ella. Diga el nombre del concepto y vea si su hijo(a) puede identificar el nombre que corresponde a su opuesto.
- Mande a su hijo(a) que emprenda una búsqueda de opuestos. Déle una canasta con objetos que puedan ser fácilmente identificados con sus opuestos como un libro delgado, una botella de plástico vacía y un palo pequeño. Pida a su hijo(a) que encuentre un libro grueso, una botella de plástico llena y un palo grande.
- Recite la rima "A veces", junto con su hijo(a). Conversen sobre los conceptos *pequeño* y *grande*. Encuentren cosas en la casa que sean pequeñas y grandes.

A veces soy alto,	*(Párate a atención.)*
a veces soy bajo.	*(Agáchate.)*
A veces soy muy, muy alto.	*(Ponte de puntillas.)*
A veces soy muy, muy bajo.	*(Ponte de cuclillas.)*
A veces alto,	*(Párate a atención.)*
a veces bajo.	*(Agáchate.)*
A veces ni alto ni bajo.	*(Ponte de pie.)*

De visita en la biblioteca

Mis opuestos por Rebecca Emberley

La gigante y el chiquitín por Dip Ayala

Enanos y gigantes por Max Bollinger

Ayudando

La próxima semana, estudiaremos los colores. A nosotros nos gustaría que los niños llevaran ropa con colores específicos para cada día. Por favor, siga el siguiente plan: para el lunes los estudiantes llevan ropa azul; martes, rojo; miércoles, amarillo; jueves, verde; y viernes, anaranjado.

Dear Family,

The Theme for This Week: Color, Shape, and Size

In order to understand and describe the world around them, children must recognize the relationships among colors, shapes, and sizes. If you ask a child to pick up the small, round, red block, he or she must understand the concepts of size and shape in order to distinguish among the blocks. Children should begin to think about and look for shapes in their daily environments.

Learning Together

- In the morning as you help your child get dressed, ask your child to name the colors in his or her clothing.
- Look for cars of designated colors while driving.
- Have a shape hunt. Name a shape and have your child find as many items that are that shape as possible.
- Sing, "If You're Happy and You Know It" with your child. Change the verses to reflect different colors and shapes.

If you're happy and you know it,
point to the color red.
If you're happy and you know it,
point to the color red.
If you're happy and you know it,
then your face will surely show it.
If you're happy and you know it,
point to the color red.

(Other verses:)
Point to a circle.
Point to something blue.

Visiting the Library

Color by Ruth Heller

Do You Know Colors? by Katherine Howard

A Color of His Own by Leo Lionni

Color Zoo by Lois Ehlert

Helping Out

We continue our study of colors for the first part of next week. Please allow your child to wear a clothing item to match the color we are studying each day. Here is the schedule: Monday—purple, Tuesday—black, and Wednesday—white.

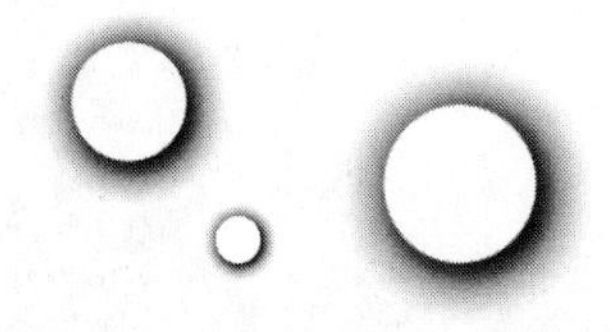

Estimada familia:

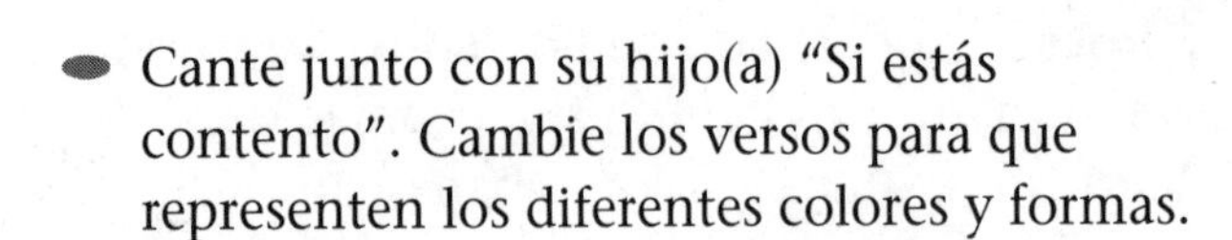

Tema de la semana: Colores, formas y tamaños

Para que los niños puedan entender y describir el mundo que los rodea, necesitan reconocer la relación que existe entre los colores, formas y tamaños. Si usted le pide al niño que levante un bloque pequeño, redondo y rojo, él(ella) debe entender el concepto de tamaño, color y forma para que pueda diferenciarlo de los demás bloques. Los niños deben empezar a pensar acerca de esto y buscar formas de los objetos en el medio ambiente que los rodea.

Aprendiendo juntos

- Por las mañanas mientras usted ayuda a cambiar de ropa a su hijo(a) pregúntele el nombre de los colores de su ropa.
- Cuando esté conduciendo busquen autos de algunos colores específicos.
- Haga una búsqueda de figuras. Diga el nombre de una figura y pida a su hijo(a) que encuentre todos los objetos posibles con esa forma.
- Cante junto con su hijo(a) "Si estás contento". Cambie los versos para que representen los diferentes colores y formas.

Si estás contento y lo sabes, señala el color rojo.
Si estás contento y lo sabes, señala el color rojo.
Si estás contento y lo sabes, tu cara lo mostrará.
Si estás contento y lo sabes, señala el color rojo.

(Versos adicionales:)
Señala a un círculo.
Señala a algo azul.

De visita en la biblioteca

El libro grande de Spot colores, formas y números por Eric Hill

Pinta ratones por Ellen Stoll Walsh

Formas y lo que forman por Joan Wade Cole y Karen K. Welch

Ayudando

La próxima semana continuaremos estudiando los colores en los tres primeros días. Por favor, recuerde a su hijo llevar ropa que corresponda al color y día de la semana. Siga el siguiente plan: lunes, morado; martes, negro; y miércoles, blanco.

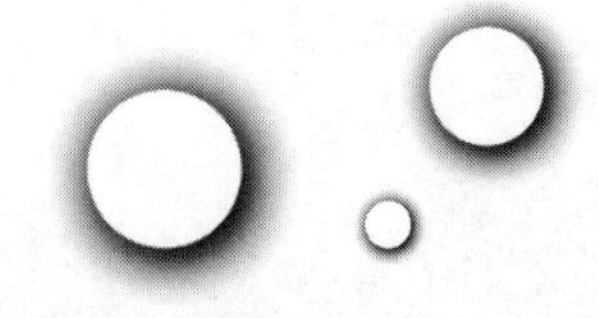

Instructions

1. Allow your child to color or decorate the list of activities.
2. Cut out the list along the dotted line.
3. If you wish to reinforce the paper list, help your child glue the cutout to a piece of cardboard.
4. Allow the glued list to dry for several minutes, and then help your child cut the cardboard into the shape of the list.
5. Attach the list to the refrigerator by using magnets or by attaching a strip of magnetic tape to the back of the list.
6. Use the list as a reminder to do these fun activities with your child throughout the month!

cut

November

- Show your child a calendar page for November. Point out any special dates for your family, such as birthdays, celebrations, and holidays. Count the remaining days until Thanksgiving. Explain that Thanksgiving is always celebrated on the fourth Thursday in November. Discuss the meaning of the word *thanks* in *thanksgiving*. Remind your child to say thank you when someone does something nice for him or her.
- Trace around your child's hand to make a turkey. The thumb is the head and the fingers are the feathers. Provide crayons so your child can color in the details.
- Have a feather race. Lay two feathers on the floor side by side. Determine the location for a finish line, and see who can blow a feather across the finish line first.
- Take a trip to the grocery store. Invite your child to help you find items on your grocery list. Discuss the origins of the foods you purchase.

cut

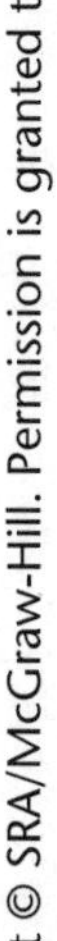

Instrucciones

1. Permita que su hijo(a) decore o colore la lista de actividades.
2. Sigan la línea de puntos y recorten la lista.
3. Si ustedes desean, pueden reforzar la lista de papel con cartoncillo. Ayude a su hijo(a) a que la pegue en un pedazo de cartoncillo para reforzarla.
4. Deje que el cartoncillo se seque por unos minutos, y después ayude a su hijo(a) para que recorte la lista.
5. Peguen la lista de actividades en su refrigerador o nevera. Utilicen imanes o tiras de cinta magnética al reverso del cartoncillo para pegarlo al refrigerador.
6. ¡Utilice la lista como recordatorio para hacer estas actividades divertidas con su hijo(a) durante el transcurso del mes!

cut

Noviembre

- Muestre a su hijo(a) el calendario en la página del mes de noviembre. Señale las fechas especiales para su familia tales como cumpleaños, celebraciones y días festivos. Cuenten los días que faltan para el Día de Acción de Gracias. Explíquele que el Día de Acción de Gracias siempre se celebra el cuarto jueves del mes de noviembre. Comente acerca del significado de la palabra "*thanks*" (gracias) en el Día de Acción de Gracias. Recuérdele que diga gracias cuando alguien haga algo bonito por él(ella).
- Trace la mano de su hijo(a) en papel y déle forma de pavo. El pulgar será la cabeza del pavo y los dedos las plumas. Déle crayones para que él(ella) coloree el dibujo.
- Utilicen plumas para hacer una carrera. Coloque dos plumas de lado a lado, determinen un punto como meta final y vean quien llega primero a la meta final soplándole a la pluma.
- Vayan a la tienda de abarrotes. Invite a su hijo(a) a que le ayude a buscar los comestibles que están en su lista de compras. Comenten acerca del origen de los productos que compran en la tienda.

cut

Dear Family,

The Theme for This Week: Color, Shape, and Size

This week we continue to examine the relationships among colors, shapes, and sizes. Several activities this week allow children to cut out various shapes. This helps them develop their fine-motor skills. Also this week, children begin to develop an awareness of street signs, local buildings, and other symbols.

Learning Together

- Encourage your child to help you match the family's socks and compare the sizes.
- Play I Spy with your child. Say "I spy something red" and encourage your child to find the item you are describing.
- When in the car, challenge your child to find road signs shaped like triangles, circles, rectangles, rhombuses (diamond shapes), and squares.
- Sing "The Color Song" to the tune of "I've Been Working on the Railroad."

Red is the color for an apple to eat.
Red is the color for cherries, too.
Red is the color for strawberries.
I like red, don't you?

Blue is the color for the big blue sky.
Blue is the color for baby things, too.
Blue is the color of my sister's eyes.
I like blue, don't you?

Yellow is the color for the great big sun.
Yellow is the color for lemonade, too.
Yellow is the color of a baby chick.
I like yellow, don't you?

Visiting the Library

Nature Spy by Shelley Rotner

Color Dance by Ann Jonas

Inch by Inch by Leo Lionni

The Snowy Day by Ezra Jack Keats

Helping Out

We are collecting coat-hanger tubes, oatmeal boxes, and coffee cans for an activity next week. Please send any of these items you may have to school by Friday of this week.

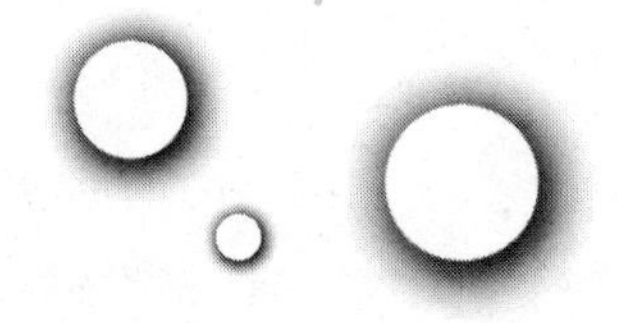

Estimada familia:

Tema de la semana: Colores, formas y tamaños

Esta semana continuaremos estudiando la relación que existe entre los colores, formas y tamaños. Varias actividades de esta semana permitirán que su hijo(a) recorte figuras. Además, esto les ayudará a desarrollar sus habilidades o destrezas psicomotoras finas. En esta misma semana, los niños iniciarán con el conocimiento de las señales de las vías públicas, edificios locales y otros símbolos.

Aprendiendo juntos

- Invite a su hijo(a) que le ayude a poner los calcetines en pares de acuerdo al tamaño.
- Juegue I Spy (yo espío) con su hijo(a). Diga, —I spy something red (yo espío algo rojo) —y pida a su hijo(a) que encuentre el objeto que usted está describiendo.
- Cuando estén en el coche, rete a su hijo(a) a que encuentre las señales de las vías públicas con forma de triángulos, círculos, rectángulos, rombos (forma de diamante) y cuadradas.
- Leya a su hijo(a) el poema "Los colores".

Rojo es el color de una manzana para comer.
Rojo es el color de las cerezas, también.
Rojo es el color de todas las fresas.
Me gusta el rojo, ¿te gustan las fresas?

Azul es el color del gran firmamento.
Azul es el color de juguetes y cuentos.
Azul es el color de los ojos de mi hermana.
Me gusta el azul, ¿tus ojos azul emanan?

Amarillo es el color del gran Sol.
Amarillo es lo que sale del limón.
Amarillo es el color de un pollito.
Me gusta el amarillo de tu cabello.

De visita en la biblioteca

El reino de la geometría por Alma Flor Ada

Mi pequeño libro de los colores por Susan Amerikaner

Grande o pequeño por Evelyne Mathiaud

Amigos por Alma Flor Ada

Ayudando

Estamos juntando objetos tales como ganchos para abrigos, cajas vacías de avena y botes vacíos de café para una actividad que haremos en la próxima semana. Si tiene alguno de estos objetos en su casa, por favor, envíelo a la escuela para el viernes de esta semana.

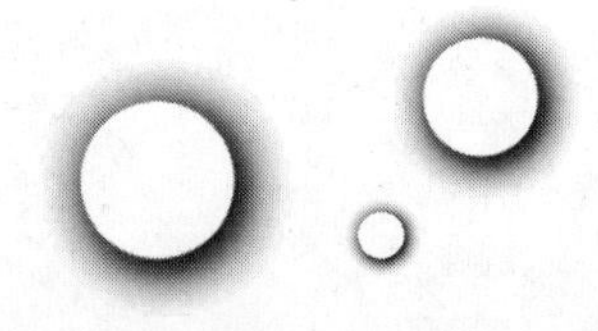

Dear Family,

The Theme for This Week: Things That Go Together

Building on previous themes, the lessons this week strengthen children's ability to link items to one another based on how they function together. Through various activities, children begin to examine familiar things and the way(s) they "go together."

Learning Together

- Call attention to things that go together when bathing and dressing your child. Good examples are brushes and combs, shoes and socks, and toothpaste and toothbrushes.
- Play a game with your child. Discuss the parts that make up the game.
- Point out the relationship of things that go together in your home. For example, the car and the garage, the mail and the mailbox, a dog and his house, or a cat and her bed.
- Sing "Old MacDonald Had a Farm" with your child. Point out that each animal makes a specific sound, and also that the animal and the sound it makes go together.

Old MacDonald had a farm,
E-I-E-I-O.
And on this farm she had a cow,
E-I-E-I-O.
With a moo, moo here,
And a moo, moo there,
Here a moo, there a moo,
Everywhere a moo, moo.
Old MacDonald had a farm.
E-I-E-I-O!

(Additional verses:)
pig—oink, oink
cat—meow, meow
dog—bow-wow
horse—neigh, neigh

Visiting the Library

Mr. Tall and Mr. Small by Barbara Brenner

One Was Johnny: A Counting Book by Maurice Sendak

Chicka Chicka Boom Boom by John Archambault and Bill Martin, Jr.

Helping Out

We are collecting items for a junk table for the Under Construction unit next week. If you have items, such as locks and keys, hinges, nuts and bolts, broken clocks, and doorknobs, please send them to school by Friday.

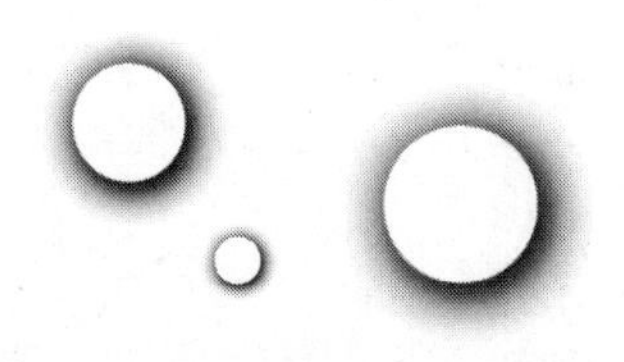

Estimada familia:

Tema de la semana: Las cosas que van juntas

Basándonos en los temas anteriores, las lecciones de esta semana apoyarán la habilidad de los niños para agrupar objetos de acuerdo a cómo funcionan en conjunto. A través de varias actividades, los niños comenzarán a examinar objetos familiares y a razonar por qué "van juntos".

Aprendiendo juntos

- Nombre objetos que "vayan juntos" o que estén en la misma categoría cuando bañe y cambie a su hijo(a). Algunos buenos ejemplos son: cepillos y peines, zapatos y calcetines, pasta dental y cepillos dentales.
- Juegue con su hijo(a) y explíquele las partes que componen el juego.
- Señale la relación que se da entre cosas que "van juntas" en su casa, por ejemplo, el coche y la cochera, el correo y el buzón, el perro y su casa, o el gato y su cama.
- Cante con su hijo(a) "El viejo MacDonald". Déjele saber que cada uno de los animales emite sonidos diferentes, y que el sonido que emite y el animal "van juntos".

El viejo MacDonald tenía una granja,
I-A-I-A-U.
Y en su granja tenía una vaca,
I-A-I-A-U.
Con un mu, mu aquí,
y un mu, mu, allá,
un mu aquí, un mu allá,
dondequiera un mu.
El viejo MacDonald tenía una granja,
I-A-I-A-U.

(Versos adicionales:)
cerdo—oink, oink
gato—miau, miau
perro—guau, guau
caballo—jiiii, jiii

De visita en la biblioteca

¿Cómo te vistes? por Dami y Alicia Casado

Silvestre y la piedrecita mágica por William Steig

Arco iris de animales por Enrique Martinez

Ayudando

Estamos juntando materiales de desuso para la unidad temática: "En construcción" de la próxima semana. Si usted tiene materiales en su casa que no necesite cómo candados y llaves, bisagras, tuercas y tornillos grandes, relojes rotos y cerrojos, por favor envíelos a la escuela para el viernes. ¡Muchas gracias!

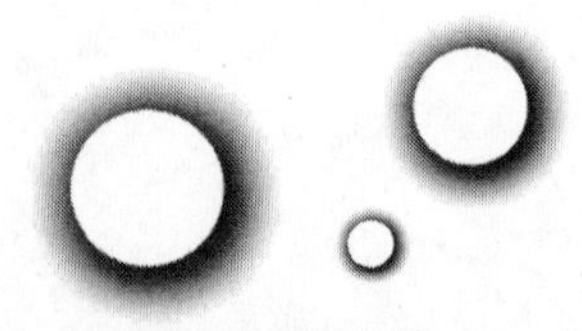

Dear Family,

The Theme for This Week: Under Construction

Sentences are constructed, items of clothing are constructed, pieces of art are constructed, and so on. Knowing that things are built by combining smaller parts in a certain order, children begin to understand spatial order. Their vocabularies also expand as they learn specialized spatial words.

Learning Together

- Take your child to a construction site to watch the building activities.
- Use empty boxes and food containers to build a small town with your child.
- Help your child draw a floor plan of the arrangement of his or her room. Where are the doors and where are the windows? Point out the use of plans when building and the use of space in a room when arranging furniture.
- Teach your child the rhyme "Birdie, Birdie, Where Is Your Nest?" Point out that a bird making a nest is a form of construction.

Birdie, birdie, where is your nest?
Birdie, birdie, where is your nest?
Birdie, birdie, where is your nest?
In the tree that I love best.

Helping Out

Next week, our theme is Growing Things. We will discuss how we grow. Please send a baby picture of your child to school by Friday. Print your child's name and age on the back. All photos will be returned. If by chance you do not have a baby picture available, sit with your child, and draw a picture that illustrates how your child looked as a baby.

Also, we will cook tortillas in class next Thursday and are looking for volunteers to help. Let us know if you are available.

Visiting the Library

Is It Round? Is It Square? by Tana Hoban

Truck by Donald Crews

Architecture: Shapes by Michael Crosbie and Steve Rosenthal

The Grandpa Days by Joan Blos

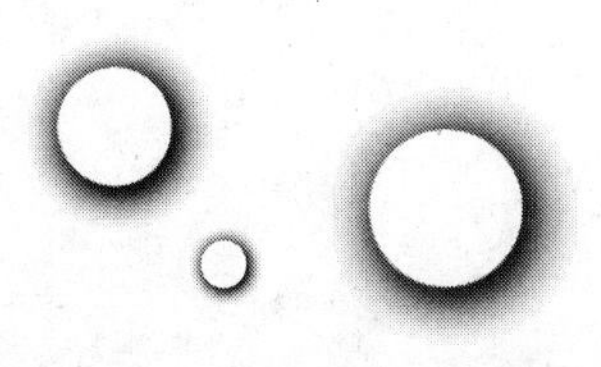

Estimada familia:

Tema de la semana: En construcción

Así como las estructuras de las oraciones gramaticales se construyen, las prendas de vestir o las obras de arte se construyen a partir de componentes más pequeños. Al saber que las cosas se construyen al combiner partes más pequeñas, los niños comienzan a comprender el concepto de *orden espacial.* Su vocabulario también se amplía conforme aprenden palabras especiales relacionadas al orden espacial.

Aprendiendo juntos

- Lleve a su hijo(a) a que vea las actividades que se llevan a cabo en un edificio en construcción.
- Utilice cajas vacías y recipientes de comida para construir juntos una ciudad en miniatura.
- Ayude a su hijo(a) a dibujar un plan para reacomodar su habitación. ¿Dónde están las puertas y ventanas? Comente con él(ella) acerca de lo útil que son los planos para construir y lo necesario que es el espacio en una habitación para reacomodar los muebles.
- Enseñe a su hijo(a) la siguiente rima "Pajarito, pajarito, ¿dónde está tu nido?" Déjele saber que cuando un pájaro prepara un nido es una forma de construcción.

Pajarito, pajarito, ¿dónde está tu nido?
Pajarito, pajarito, ¿dónde está tu nido?
Pajarito, pajarito, ¿dónde está tu nido?
¡En el árbol del que estoy enamorado!

Ayudando

Nuestro tema de la próxima semana será el siguiente: El crecimiento de las cosas. Por favor, envíe una fotografía a la escuela de cuando su hijo(a) era bebé para este viernes. Escriba el nombre y la edad de su hijo(a) al reverso de la fotografía. Todas las fotos serán devueltas. Si por alguna razón no tiene fotografías de cuando su hijo(a) era bebé, por favor siéntese con su hijo(a) y hagan un dibujo donde ilustre las características que tenía él(ella) cuando era bebé.

También haremos tortillas en la clase el próximo jueves y necesitaremos voluntarios. Por favor, déjenos saber si usted está disponible y si desea ayudar. ¡Muchas gracias!

De visita en la biblioteca

Soy un pájaro por J. L. Garcia Sanchez

Soy una roco por J. L. Garcia Sanchez

El pintorcito de Sabana Grande por Patricia Maloney Markun

La casa en el aire por Edna Torres

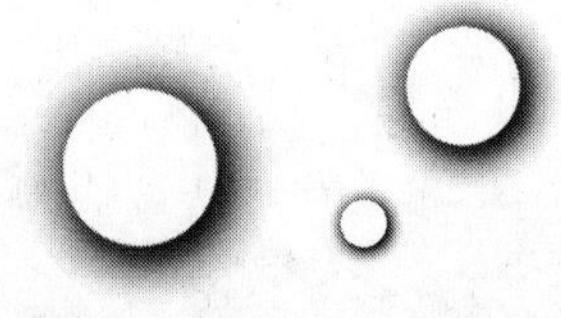

Dear Family,

The Theme for This Week: Growing Things

Because of their limited vocabularies, young children might not have the words to describe in detail the world around them. They learn about their world by carefully observing their environments. The knowledge of how and why things grow should be part of that observation. The lessons in this theme allow the children the opportunity to make observations about and reflect on how they have grown and changed over time.

Learning Together

- Plant seeds with your child or actually make a small garden.
- Take your child on a tour of the produce department at the grocery store. Discuss the various fruits and vegetables and where they grow.
- Show your child pictures of yourself as a baby and young child. Discuss how you have changed over time. Show your child pictures of himself or herself and discuss how he or she has changed over time.
- Say the poem/finger play "When I Was One" with your child.

When I was one, I was so small,	*(Hold up one finger.)*
I could not speak a word at all.	*(Shake head.)*
When I was two, I learned to talk.	*(Hold up two fingers.)*
I learned to sing, I learned to walk.	*(Point to mouth and feet.)*
When I was three, I grew and grew.	*(Hold up three fingers.)*
Now I am four and so are you!	*(Hold up four fingers.)*

Visiting the Library

Reason for a Flower by Ruth Heller

Oliver's Vegetables by Vivian French

When I Get Bigger by Mercer Mayer

The Carrot Seed by Ruth Kraus

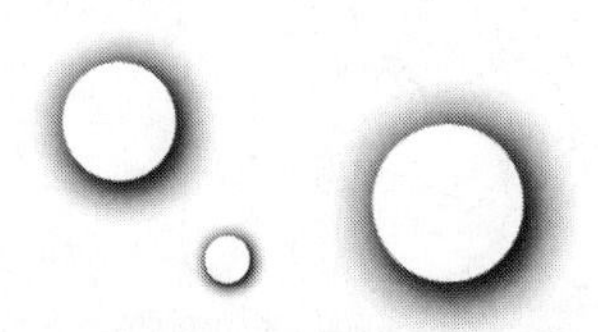

Estimada familia:

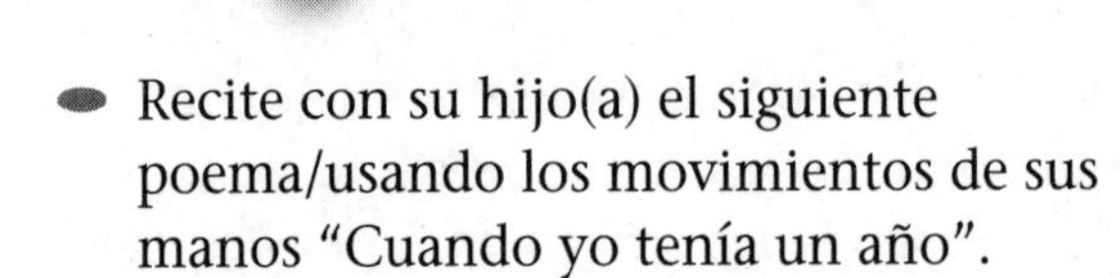

Tema de la semana: El crecimiento de las cosas

A causa de su limitado vocabulario, los niños muy pequeños quizás no tengan las palabras suficientes para describir con detalles el mundo que los rodea. Ellos aprenden de su mundo observando cuidadosamente su medio ambiente. El conocimiento de cómo y porqué las cosas crecen debería ser parte de esta observación. Las lecciones de este tema darán a los niños la oportunidad de hacer observaciones que reflejen cómo han crecido ellos y los cambios que han tenido con el tiempo.

Aprendiendo juntos

- Plante semillas junto con su hijo(a) o quizás hasta puedan hacer un jardín pequeño.
- Lleve a su hijo(a) a dar un paseo a la sección de productos agrícolas del supermercado. Comente con él(ella) sobre la variedad de frutas y vegetales que hay en el supermercado y dónde crecen éstos.
- Muestre a su hijo(a) fotografías de cuando usted era bebé y cuando era muy pequeño(a). Converse acerca de los cambios que ha tenido a través del tiempo. Después muéstrele fotografías de cuando él(ella) era muy pequeño(a) y discutan acerca de sus cambios.
- Recite con su hijo(a) el siguiente poema/usando los movimientos de sus manos "Cuando yo tenía un año".

Cuando tenía un año, era chiquita.	*(Levántese un dedo.)*
No podía decir ni una palabrita.	*(Negue con la cabeza.)*
Cuando tenía dos años, podía hablar.	*(Levántese dos dedos.)*
Podía cantar y podía caminar.	*(Tocque la boca y los pies.)*
Cuando tenía tres años, crecí un montón.	*(Levántese tres dedos.)*
Ahora tengo cuatro, cuatro años son.	*(Levántese cuatro dedos.)*

De visita en la biblioteca

En árbol de Rita por Rosa Flores

La semilla de zanahoria por Ruth Kraus

A sembrar sopa de verdures por Lois Ehlert

cut

cut

Instructions

1. Allow your child to color or decorate the list of activities.
2. Cut out the list along the dotted line.
3. If you wish to reinforce the paper list, help your child glue the cutout to a piece of cardboard.
4. Allow the glued list to dry for several minutes, and then help your child cut the cardboard into the shape of the list.
5. Attach the list to the refrigerator by using magnets or by attaching a strip of magnetic tape to the back of the list.
6. Use the list as a reminder to do these fun activities with your child throughout the month!

December

- Show your child a calendar page for December. Point out any special dates for your family, such as birthdays, celebrations, and holidays.
- Form a kitchen band. Give family members kitchen items, such as a pair of spoons, pan lids, cereal boxes, and milk jugs. Have them keep the beat to a favorite piece of music.
- Go to the library, and check out holiday books.
- Make a food donation to a food kitchen. Involve your child in the selection and delivery of your donation.
- If gifts were received this month, help your child write thank-you notes. If you do the writing, perhaps your child can add some illustrations.

cut

Instrucciones

1. Permita que su hijo(a) decore o colore la lista de actividades.
2. Sigan la línea de puntos y recorten la lista.
3. Si ustedes desean, pueden reforzar la lista de papel con cartoncillo. Ayude a su hijo(a) a que la pegue en un pedazo de cartoncillo para reforzarla.
4. Deje que el cartoncillo se seque por unos minutos, y después ayude a su hijo(a) para que recorte la lista.
5. Peguen la lista de actividades en su refrigerador o nevera. Utilicen imanes o tiras de cinta magnética al reverso del cartoncillo para pegarlo al refrigerador.
6. ¡Utilice la lista como recordatorio para hacer estas actividades divertidas con su hijo(a) durante el transcurso del mes!

cut

Diciembre

- Muestre a su hijo(a) el calendario en la página del mes de diciembre. Señale las fechas especiales para su familia tales como cumpleaños, celebraciones y días festivos.
- Formen una banda musical con objetos de la cocina. Déle objetos de cocina a miembros de su familia tales como un par de cucharas, tapaderas de cazuelas, cajas de cereal y jarras de leche. Pídales que mantengan el ritmo de un fragmento de su música favorita.
- Vayan a la biblioteca. Seleccionen y saquen libros prestados de los días festivos.
- Donen comida para un centro de alimentos. Deje que su hijo(a) participe en la selección y entrega de los productos donados.
- Si su hijo(a) recibió regalos este mes, ayúdele para que escriba una nota de gracias. Si usted escribe la nota, deje que su hijo(a) le haga algunos dibujitos.

Dear Family,

The Theme for This Week: Food and Nutrition

Building on last week's theme, Growing Things, this week the children learn how people use food in order to grow. It is important for them to learn about what kinds of food and drinks are healthful. The lessons introduce and discuss the various food groups. The children also participate in a class project as they help create a food pyramid.

Learning Together

- Let your child help you make a grocery list and then help you collect the items at the store.
- Invite your child to help you fix a meal for the family. Discuss the different food groups represented in the meal, such as meats, breads and grains, vegetables and fruits, and dairy products.
- Encourage your child to drink plenty of water. If you do not already serve water with meals, try adding it. Water is a necessary ingredient for keeping our brains alert.
- Say the "Ice Cream Chant" with your child. Discuss what flavor of ice cream each of you likes best. You may want to take a trip to the local ice cream parlor to sample your favorite flavor.

I scream, you scream,
We all scream for ice cream!
Ice cream in a cup, ice cream on a cone.
Ice cream with syrup, ice cream all alone.

Visiting the Library

Lunch by Denise Fleming

We Love Fruit! by Allan Fowler

Vegetable Soup by Ann Morris

Milk: From Cow to Carton by Aliki

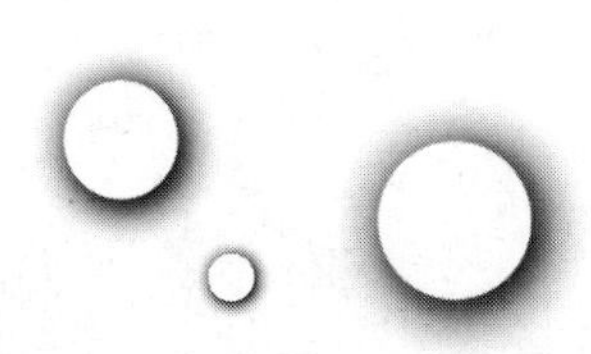

Estimada familia:

Tema de la semana: Los alimentos y la nutrición

Procediendo del tema de la semana pasada, El crecimiento de las cosas, esta semana los niños aprenderán sobre la función que desempeñan los alimentos en el crecimiento de las personas. Es muy importante que ellos aprendan cuáles son los alimentos y bebidas más saludables para consumir. Las lecciones servirán de introducción para analizar los diferentes grupos de alimentos. Los niños participarán en clase en la elaboración de la pirámide alimenticia.

Aprendiendo juntos

- Deje que su hijo(a) le ayude a escribir una lista de comestibles y a seleccionar los comestibles en la tienda.
- Invite a su hijo(a) a que le ayude a preparar una comida para la familia. Comente acerca de los diferentes grupos de alimentos que contiene la comida tales como carnes, pan y granos, vegetales y frutas y productos lácteos.
- Motive a su hijo(a) para que beba suficiente agua. En caso de que usted no tenga el hábito de servir agua para acompañar los alimentos, trate de hacerlo. El agua es un ingrediente necesario que mantiene alerta a nuestro cerebro.
- Recite la siguiente rima con su hijo(a) "La canción del helado". Comenten acerca del sabor de helado que más les gusta. Quizás ustedes quieran ir a la nevería local a probar su helado favorito.

Yo lo pido, tú lo pides,
el helado todos piden.
En vasito o en barquilla, todos piden el helado.
Con jarabe o con crema, todos comen
mantecado.

De visita en la biblioteca

Pachanga deliciosa por Pat Mora

Sopa de vegetales por Ann Morris

Caldo, caldo, caldo por Diane Gonzales Bertrand

Gracias a las vacas por Allan Fowler

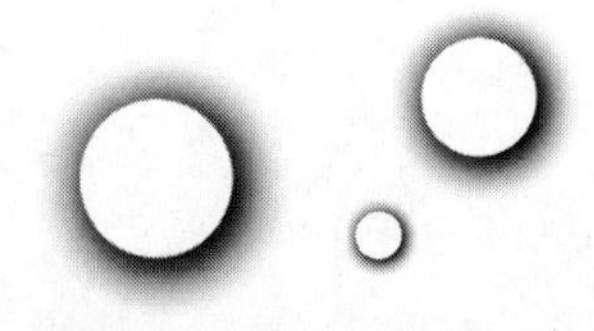

Dear Family,

The Theme for This Week: Nursery Rhymes

Most preschool children are developing a love of spoken language. Nursery rhymes can be a traditional way to motivate children and to have fun discovering language. Nursery rhymes and other rhymes also assist in a child's comprehension of *real* and *imaginary.*

Learning Together

- Recite your favorite nursery rhyme to your child. Discuss why it is your favorite.
- Ask your child to say his or her favorite rhyme to you.
- Help your child make up a rhyme.
- Say the rhyme "Hey, Diddle, Diddle" to your child. Discuss the humor of a cow jumping over the moon.

Hey, diddle, diddle,
The cat and the fiddle.
The cow jumped over the moon.
The little dog laughed to see such a sight,
And the dish ran away with the spoon.

Helping Out

Next week we will study sound and movement. We are asking children to bring items to school next Wednesday that both move and make sounds. Encourage your child to be thinking about what he or she wants to bring.

Visiting the Library

Tomie dePaola's Mother Goose Favorites by Tomie dePaola

Richard Scarry's Best Mother Goose Ever by Richard Scarry

Big Fat Hen by Keith Baker

Grandmas' Nursery Rhymes/Las nanas de abuelita by Nelly Palacio Jarmillo

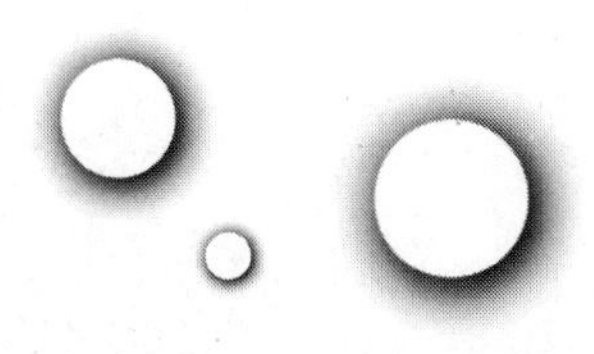

Estimada familia:

Tema de la semana: Rimas infantiles

La mayoría de los niños preescolares desarrollan en esta etapa amor por el lenguaje oral. Las rimas infantiles pueden servir como una forma tradicional de motivar a los niños y también para divertirlos cuando exploran el lenguaje. Las rimas infantiles y otros géneros de rimas también ayudan al niño en la comprensión de lo *real* y lo *imaginario.*

Aprendiendo juntos

- Recite su rima infantil favorita a su hijo(a). Y dígale por qué es su favorita.
- Pídale a su hijo(a) que le recite su rima favorita.
- Ayude a su hijo(a) a inventar una rima.
- Recite la siguiente rima con su hijo(a) "¡Eh, chin, chin!" Comente acerca de lo cómico que resulta que la vaca de la rima salte sobre la luna.

¡Eh, chin, chin!
El gato y el violín.
La vaca sobre la luna saltó.
El perrito al ver tal cosa se rió.
Y el plato con la cuchara se escapó.

Ayudando

La próxima semana estudiaremos el sonido y el movimiento. Su hijo(a) necesita traer objetos que tengan movimiento y hagan ruido para el próximo miércoles. Motive a su hijo(a) para que piense acerca de los objetos que querrá traer a la escuela. ¡Muchas gracias!

De visita en la biblioteca

Tortillas para Mama compilado por Margot Griego

Los pollitos dicen por Nancy Abraham Hall

Grandmas' Nursery Rhymes/Las nanas de abuelita por Nelly Palacio Jarmillo

Dear Family,

The Theme for This Week: Sound and Movement

Because preschoolers by nature are very energetic, it is necessary to provide a channel for that restlessness. Sound and movement activities demonstrate the relationship that words and music share with physical movement. Some lessons in this theme allow the children to examine indoor and outdoor noises, learn about safety rules, and discuss cause and effect.

Learning Together

- Tour your home with your child in search of items that both move and make sounds, such as clocks, music boxes, wind-up toys, mobiles, and fans.
- Put on some music and dance with your child.
- Take a walk around the neighborhood looking for things that move and make sounds, such as the wind, birds, cars, people, and insects.
- Say and act out the chant "I Can, You Can!" with your child.

I can put my hands up high. Can you?
I can wink my eye. Can you?
I can stick out my tongue. Can you?
I can open my mouth wide. Can you?
I can fold my arms. Can you?
I can cover my ears. Can you?
I can touch my nose. Can you?
I can give myself a great big hug. Can you?
And if I give my hug to you,
will you give yours to me?

Visiting the Library

The Napping House by Audrey Wood

The Cow Buzzed by Andrea Zimmerman

Crash! Bang! Boom! by Peter Spier

Clap Your Hands by Lorinda Cauley

Helping Out

We are studying music next week, and we are collecting empty paper-towel tubes. We are also hoping that family members who play musical instruments will come to class to share their talent with us. If you play an instrument and are available to spend some time with us, please let us know.

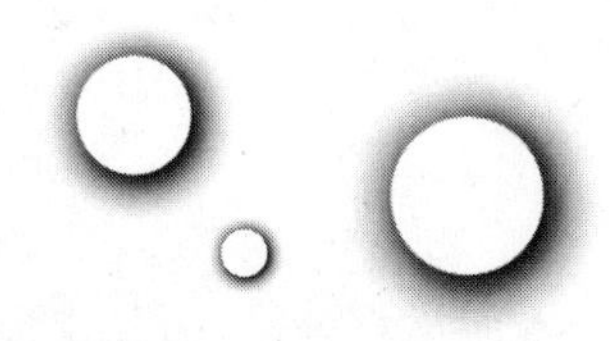

Estimada familia:

Tema de la semana: El sonido y el movimiento

Debido a que los preescolares son por naturaleza muy enérgicos, es necesario proveer en la clase actividades para que canalicen su energía. Las actividades que incluyen sonido y movimiento demuestran la relación que comparten las palabras y la música con los movimientos físicos. Algunas de las lecciones de este tema permitirán que los niños escuchen y examinen los ruidos dentro y fuera de la escuela, aprenderán acerca de las reglas de seguridad y discutiremos sus causas y efectos.

Aprendiendo juntos

- Recorra su casa con su hijo(a) y busque objetos que se muevan y emitan sonidos tales cómo relojes, cajitas musicales, juguetes que se mueven con viento, móbiles o ventiladores.
- Ponga música y baile con su hijo(a).
- Vaya a caminar a los alrededores de su vecindario y busque cosas que se muevan y emitan sonidos como viento, pájaros, coches, personas e insectos.
- Con su hijo(a), diga el canto "¡Yo puedo, tú puedes!" y haga las acciones.

Yo puedo alzar las manos. ¿Y tú puedes?
Yo puedo guiñar el ojo. ¿Y tú puedes?
Yo puedo sacar la lengua. ¿Y tú puedes?
Yo puedo tener la boca bien abierta.
¿Y tú puedes?
Yo puedo doblar los brazos. ¿Y tú puedes?
Yo puedo taparme los oídos. ¿Y tú puedes?
Yo puedo tocarme la nariz. ¿Y tú puedes?
Yo puedo darme un tremendo abrazo.
¿Y tú puedes?
Y si yo te doy mi abrazo,
¿puedes darme el tuyo?

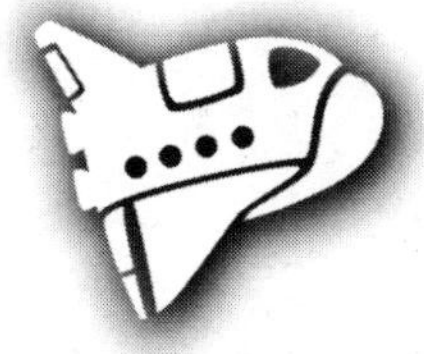

De visita en la biblioteca

La casa adormecida por Audrey Wood

Salsa por Lillian Colon-Vila

¡Mira qué pasó!
por Anne-Claire Leveque

Ayudando

Estudiaremos música la próxima semana y estamos recolectando rollos de papel servilleta vacíos. También esperamos que algún miembro de su familia toque un instrumento musical para que venga a la clase a compartir su talento con nosotros. Si usted toca un instrumento musical y tiene tiempo para venir y estar un rato con nosotros, por favor avísenos.
¡Muchas gracias!

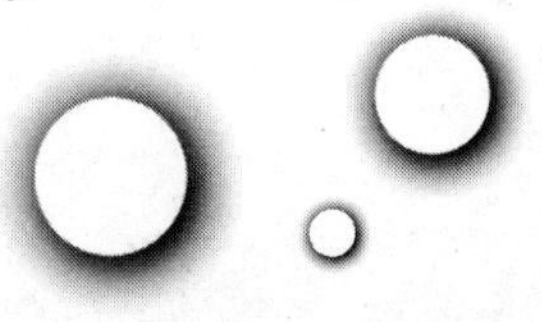

Dear Family,

The Theme for This Week: Music

Building on the previous theme, Sound and Movement, this week the children explore rhythm, verse, tempo, and various musical instruments. They begin to understand that music is a form of expression. This week's lessons invite the children to discriminate between different sounds, discuss instrument families (percussion, wind, and so on), and think about part-whole relationships.

Learning Together

- Play a variety of musical selections for your child, such as classical, rock, country, jazz, and the blues. Tell your child which kind of music you like best and why.
- Take your child to a place where he or she can hear live music. This might be a restaurant, a high school football game, a theatre, or a community festival.
- Use kitchen utensils, such as pot lids or spoons, to keep the beat of a selection of music.
- Sing your favorite song for your child and teach him or her the words. Ask your child to teach you his or her favorite song.

Visiting the Library

Dreamsong by Alice McLerran

Barn Dance by Bill Martin, Jr.

Mama Rocks, Papa Sings by Nancy Van Laan

Whistle for Willie by Ezra Jack Keats

Helping Out

Our theme next week is Winter. We are collecting old winter clothing for our Dramatic Play Learning Center. Please bring any donations you have to school by Friday.

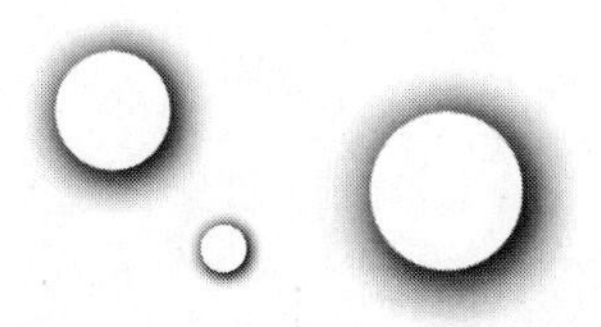

Estimada familia:

Tema de la semana: La música

Procediendo a partir del tema anterior, El sonido y el movimiento, esta semana los niños explorarán el ritmo, el verso, el tiempo y varios instrumentos musicales. Ellos comienzan a comprender que la música es una forma de expresión. Las lecciones de esta semana invitarán a los niños a distinguir entre los diferentes sonidos. Hable con él(ella) de la clasificación de las familias de los instrumentos (percusiones, de viento y demás) y piense acerca de las relaciones parciales y completas que existen entre los instrumentos.

Aprendiendo juntos

- Ponga una selección variada de música para su hijo(a) tal como música clásica, rock, ranchera, jazz y blues. Pregúntele a su hijo(a) qué tipo de música le gusta más y por qué.
- Lleve a su hijo(a) a lugares donde él(ella) pueda escuchar música en vivo. Podría ser en un restaurante, en el juego de fútbol en la preparatoria, el teatro o el festival de la comunidad.
- Utilicen utensilios de cocina como tapaderas de olla o cucharas para llevar el ritmo de una pieza musical.
- Cántele su canción favorita y enséñele la letra de la canción. También pídale a su hijo(a) que le cante su canción favorita.

De visita en la biblioteca

Mañana es domingo por Alma Flor Ada

Una extraña visita por Alma Flor Ada

Silba por Willie por Ezra Jack Keats

Arroz con leche por Lulu Delacre

Ayudando

Nuestro tema para la próxima semana será El invierno. Nosotros estamos juntando ropa de invierno usada para nuestro centro de aprendizaje de dramatización. Por favor, done ropa para esta actividad y envíela a la escuela. ¡Muchas gracias!

Instructions

1. Allow your child to color or decorate the list of activities.
2. Cut out the list along the dotted line.
3. If you wish to reinforce the paper list, help your child glue the cutout to a piece of cardboard.
4. Allow the glued list to dry for several minutes, and then help your child cut the cardboard into the shape of the list.
5. Attach the list to the refrigerator by using magnets or by attaching a strip of magnetic tape to the back of the list.
6. Use the list as a reminder to do these fun activities with your child throughout the month!

January

- Show your child a calendar page for January. Point out any special dates for your family, such as birthdays, celebrations, and holidays. Discuss the beginning of the new year, and point out that January is the first month of the year.
- Take a walk, and look for signs of winter. When you get home, make a list of the things you found.
- Spray shaving cream on a tabletop and encourage your child to play in the pretend snow.
- Give your child a basket of items to play with in the bathtub. Ask him or her to test each item to see if it sinks or floats. Help your child determine what makes an item sink and what makes it float.
- Teach your child to use emergency telephone numbers.

Instrucciones

1. Permita que su hijo(a) decore o colore la lista de actividades.
2. Sigan la línea de puntos y recorten la lista.
3. Si ustedes desean, pueden reforzar la lista de papel con cartoncillo. Ayude a su hijo(a) a que la pegue en un pedazo de cartoncillo para reforzarla.
4. Deje que el cartoncillo se seque por unos minutos, y después ayude a su hijo(a) para que recorte la lista.
5. Peguen la lista de actividades en su refrigerador o nevera. Utilicen imanes o tiras de cinta magnética al reverso del cartoncillo para pegarlo al refrigerador.
6. ¡Utilice la lista como recordatorio para hacer estas actividades divertidas con su hijo(a) durante el transcurso del mes!

cut

Enero

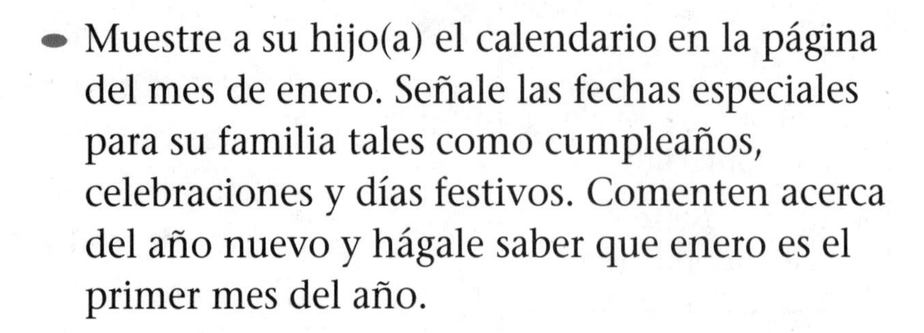

- Muestre a su hijo(a) el calendario en la página del mes de enero. Señale las fechas especiales para su familia tales como cumpleaños, celebraciones y días festivos. Comenten acerca del año nuevo y hágale saber que enero es el primer mes del año.
- Vayan a caminar y busquen los indicios del invierno. Y cuando lleguen a su casa hagan una lista de las cosas que encontraron.
- Rocíe crema de afeitar en un mantel de mesa y aliente a su hijo(a) para que pretenda jugar con nieve.
- Déle una canasta con objetos para que juegue con ellos en la bañera. Pídale que haga una prueba con cada uno de los objetos para ver si flotan o caen al fondo de la bañera. Ayúdele a determinar porqué algunos objetos flotan y porqué otros van al fondo.
- Enseñe a su hijo(a) los números de teléfono de emergencia.

Dear Family,

The Theme for This Week: Winter

We do not experience winter the same way in every part of our world. By reading about and discussing the regional differences in the winter season, children can begin to think about different places in our world. This week's lessons allow the children to make a winter word web, paint and create with winter colors, and sequence story events.

Learning Together

- Take a walk around the neighborhood looking for signs of winter, such as the absence of insects, flowers, and leaves.
- Talk with your child about the differences in his or her fall and winter clothing. Which type of clothing is heavier? Which type is more comfortable?
- Serve winter foods for breakfast or dinner such as soup, chili, stew, and hot chocolate. Ask your child why he or she thinks these foods are especially good in the wintertime.
- Read the poem "Jack Frost" to your child. Discuss signs of winter that are prominent in your area of the country.

Jack Frost bites your nose.
He chills your cheeks and freezes your toes.
He comes every year when winter is here,
And stays until spring is near.

Visiting the Library

Polar Bear, Polar Bear by Bill Martin, Jr.

Frozen Noses by Jan Carr

Snowy, Flowy, Blowy by Nancy Tafuri

It's Snowing! It's Snowing! by Jack Prelutsky

The Mitten by Jan Brett

Helping Out

Next week, we will learn about community workers. We would like to have you come to class to share information about the work you do. Please let us know if you are available.

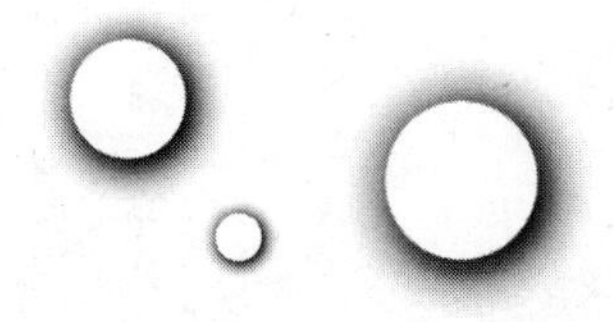

Estimada familia:

Tema de la semana: El invierno

No en todas las partes del mundo experimentamos el invierno de la misma manera. Por medio de lecturas y de la discusión de las diferencias que existen entre las diferentes regiones en el invierno, los niños tomarán conciencia de los diferentes lugares de nuestro mundo. Las lecciones de esta semana permitirán que los niños hagan una red de palabras relacionadas al invierno, pintarán y harán creaciones con los colores del invierno, y pondrán historias en secuencia.

Aprendiendo juntos

- Vayan a caminar a su vecindario y busquen señales del invierno tales como la ausencia de insectos, de flores y hojas de los árboles.
- Comparen la ropa que lleva puesta su hijo(a) durante el otoño y el invierno. ¿Cúal ropa es más pesada? ¿Cúal tipo de ropa es más confortable?
- Sirva comida de invierno para el desayuno o la cena como, por ejemplo, sopas, chile con carne, estofado y chocolate caliente. Pregunte a su hijo(a) por qué piensa que estas comidas son especialmente buenas en la época de invierno.
- Recite el poema con su hijo(a) "Diez niños felices". Discuta acerca de las señales prominentes del invierno en el área de su país.

Diez niños felices,
caminando en la nieve.
Salió el sol.
Derrite la nieve.

(Repita con números más bajos.)

De visita en la biblioteca

Un día feliz por Ruth Krauss

El pingüino Pedro por Marcus Pfister

Froggy se viste por Jonathan London

Ayudando

La próxima semana, aprenderemos acerca de Los trabajos y los oficios. Nos gustaría que usted viniera a la clase para compartir información acerca del tipo de trabajo que usted hace. Por favor, déjenos saber si tiene tiempo de venir a la clase. ¡Muchas gracias!

Dear Family,

The Theme for This Week: Community Workers

As children grow up, it is important for them to learn about the various roles people play in their communities. At some level, children should begin to sense that people are links in a chain, connected by where they live. We all play an individual part in making our neighborhoods complete. The lessons this week emphasize the contribution of the people who work in the community.

Learning Together

- Call attention to the services provided by the people in your community and neighborhood. Who picks up the trash? What would happen if no one did that job? Who delivers the mail? What would you miss if no one brought the mail to your home?
- Visit the local fire station. Make a batch of cookies for the firefighters.
- Discuss the work you do with your child. How does your work help other people? Talk with your child about things he or she might like to do when he or she is grown.
- Read and act out these excerpts of the rhyme "Helpful Friends" with your child. Discuss your experiences with each of the workers mentioned in the rhyme.

Police officer stands so tall and straight.	*(Stand up straight.)*
Holds up her hand for cars to wait.	*(Hold up right hand.)*
Blows her whistle, "Tweet! Tweet!"	*(Pretend to blow a whistle.)*
Until I'm safely across the street.	
Grocer fills his shelves so neat.	*(Pretend to place food on shelves.)*
From him we buy vegetables and meat.	*(Pretend to buy food.)*
His store also has fresh milk to drink.	*(Pretend to drink milk.)*
These are helpful friends, I think.	

Helping Out

Next week, we begin a two-week Traditional Tales theme. We would like for you to record one of the stories we are introducing on a cassette tape to be used in our Listening Learning Center. Please let us know if you would like to participate.

Visiting the Library

Friends at School by Rochelle Bunnett

Walter the Baker by Eric Carle

Going to the Doctor by Fred Rogers

Officer Buckle & Gloria by Peggy Rathmann

Mr. Grigg's Work by Cynthia Rylant

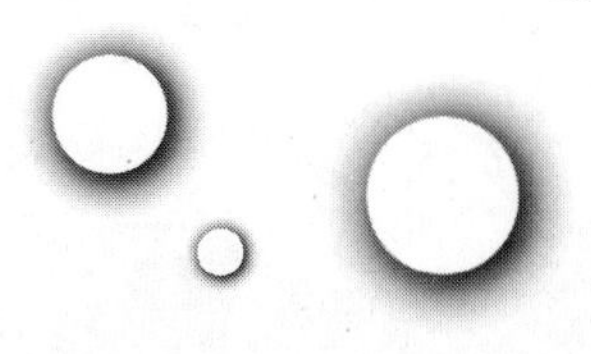

Estimada familia:

Tema de la semana: Trabajos y oficios de la comunidad

Conforme los niños crecen, es importante que aprendan acerca de las funciones que desempeñan las diferentes personas en su comunidad. Y en determinado momento, podrían comenzar a razonar acerca de la vinculación que existe entre las personas dependiendo del lugar donde vivan. Con nuestras aportaciones individuales logramos tener un sector de vivienda más completo. Las lecciones de esta semana estarán enfocadas en las aportaciones que proveen las personas que trabajan en la comunidad.

Aprendiendo juntos

- Presten atención a los servicios que proveen las personas en su comunidad y vecindario. ¿Quién se lleva la basura? ¿Qué pasaría si nadie hiciera ese trabajo? ¿Quién reparte el correo? ¿De qué te perderías si nadie trajera la correspondencia a tu casa?
- Visiten la estación local de bomberos. Horneen galletas y llévenselas a los bomberos.
- Explique a su hijo(a) acerca del trabajo que usted realiza. ¿Cómo ayuda el trabajo que usted hace a otras personas? Pregúntele acerca del tipo de trabajo que le gustaría hacer cuando sea adulto(a).
- Reciten y personifiquen la siguiente rima "Amigos útiles". Comenten acerca de las experiencias que han tenido con los trabajadores mencionados en la rima.

El amigo policía *(Párese.)*
parado tan elegante,
les señala a los carros *(Levántese la mano derecha.)*
que paren
y sonando su silbato *(Finja sonar un silbato.)*
dice: ¡Adelante!
El cartero lleva a espaldas
una bolsa llena de cartas.

El pulpero acomoda *(Finja poner la comida en los estantes.)*
bien los estantes.
Le compramos *(Finja comprar la comida.)*
verduras y los
artículos restantes.
Leche fresca tiene *(Finja beber la leche.)*
para beber.
Éstos son buenos amigos
a mi parecer.

Ayudando

La próxima semana dedicaremos dos semanas al tema de las Fábulas tradicionales. Nos gustaría que ustedes grabarán en una cinta una de las historias que utilizaremos como introducción en nuestro centro auditivo de aprendizaje. Por favor, déjenos saber si les gustaría participar.

De visita en la biblioteca

Mi mamá la cartera por Inez Maury

Clifford el perro bombero por Norman Bridwell

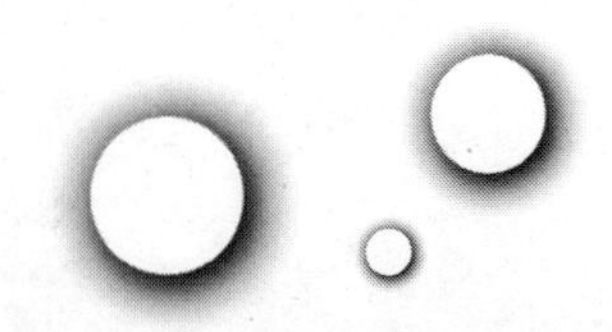

Dear Family,

The Theme for This Week: Traditional Tales

Throughout generations, storytelling has been used as a means to pass on traditional stories and folktales. As children are exposed to traditional tales, they begin to think about themes common to humans throughout the ages. Discussing and sharing traditional tales also helps children begin to understand the power of the spoken word. Some of the traditional stories we explore this week include "The Three Little Pigs," "Goldilocks and the Three Bears," and "The Three Billy Goats Gruff."

Learning Together

- Talk with your child about your favorite story when you were a child. What did you like about the story? Is it still one of your favorites?
- The stories we focus on this week include "The Three Little Pigs" (Monday), "Goldilocks and the Three Bears" (Tuesday), "The Three Billy Goats Gruff" (Wednesday), "The Little Red Hen" (Thursday), and "Henny-Penny" (Friday). The telling of traditional tales is an oral tradition. Ask your child to tell you the story he or she learns each day.
- Pick one of the stories and discuss the moral of the tale. For example, if you choose the story "Goldilocks and the Three Bears," you might talk with your child about not going into someone's home uninvited. If you choose "The Little Red Hen," you might share with your child your feelings about helping others.
- Sing "There Once Were Three Brown Bears" to the tune of "Twinkle, Twinkle, Little Star."

There once were three brown bears,
Mother, Father, Baby Bear.
Mother's food was way too cold.
Father's food was way too hot.
Baby's food was all gone.
Someone ate it, so he cried.

There once were three brown bears,
Mother, Father, Baby Bear.
Mother's bed was way too soft.
Father's bed was way too hard.
Baby's bed was occupied.
Someone strange was sleeping there.

"Come here quickly," Baby cried.
"Someone's sleeping in my bed!"
"Who are you?" asked Baby Bear.
"Who are you?" asked Goldilocks.
"You better run," said Baby Bear.
"I will!" said Goldilocks.

Visiting the Library

Deep in the Forest by Brinton Turkel

Three Cool Kids by Rebecca Emberley

The Fourth Little Pig by Teresa Celsi

Pedro Fools the Gringo by Maria Busca

Helping Out

We will continue our study of traditional tales next week. We would like for you to record one of the stories on cassette tape for our Listening Learning Center. Please let us know if you are able to participate.

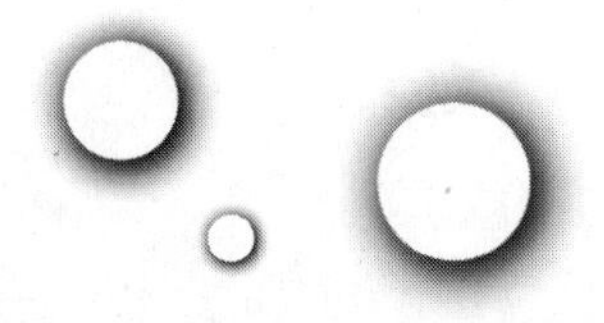

Estimada familia:

Tema de la semana: Fábulas tradicionales

A lo largo de generaciones, el contar historias ha sido utilizado con el propósito de pasar las historias y cuentos tradicionales de generación en generación. Conforme los niños conozcan las fábulas tradicionales, comenzarán a identificar los temas que han sido más comunes para los seres humanos a través del tiempo. Al dialogar y discutir acerca de los cuentos tradicionales los niños adquieren una mayor comprensión del poder del lenguaje oral. Esta semana leeremos algunas historias tradicionales como "Los tres cerditos" (The Three Little Pigs), "Ricitos de Oro y los tres osos" (Goldilocks and the Three Bears), y "Las tres cabras y el monstruo Gruff" (The Three Billy Goats Gruff).

Aprendiendo juntos

- Converse con su hijo(a) acerca de su cuento favorito de cuando usted era pequeño(a). ¿Qué fue lo que le gustó de la historia? ¿Es todavía una de sus historias favoritas?
- Esta semana nos enfocaremos en los siguientes cuentos: el lunes, "Los tres cerditos"; el martes, "Ricitos de Oro y los tres osos"; el miércoles, "Las tres cabras y el monstruo Gruff"; el jueves, "La gallinita roja"; y el viernes, "La gallina Henny-Penny". Contar fábulas y cuentos tradicionales es una tradición oral; pida a su hijo(a) que le cuente el cuento que aprenderá cada día.
- Escojan uno de los cuentos y conversen acerca de su moraleja, por ejemplo, si ustedes escogen el cuento de "Ricitos de Oro y los tres osos", quizás usted pueda aconsejarle de que nunca se meta a casas ajenas si no ha sido invitado. En caso de que elijan "La gallinita roja", usted podría compartir sus sentimientos con él acerca de la importancia de ayudar a otros.
- Cante con la tonada de "Brilla, brilla estrellita" la canción de "Había una vez tres osos cafés".

Había una vez tres osos cafés,
mamá oso, papá oso y su pequeño bebé.
La comida de mamá estaba muy fría.
La comida de papá muy caliente.
La comida del bebé se había esfumado.
Alguien se la comió y por éso había llorado.

Había una vez tres osos cafés,
mamá oso, papá oso y su pequeño bebé.
La cama de mamá era muy suave.
La cama de papá era muy dura.
La cama del bebé estaba ocupada.
Alguien más acostado allí estaba.

—Vengan rápido —lloraba el bebé—.
¡Alguien duerme en mi cama!
—¿Quién eres tú? —preguntó el bebé.
—¿Quién eres tú? —preguntó Ricitos de Oro.
—Mejor es que corras —dijo el bebé.
—Seguro —dijo Ricitos de Oro.

De visita en la biblioteca

Los tres cerditos por Eric Blegvard

Los tres osos por María Claret

Las dos cabritas por Jean LaFontaine

Ayudando

La próxima semana continuaremos estudiando fábulas y cuentos tradicionales. Nos gustaría que ustedes grabaran en una cinta uno de los cuentos para nuestro centro auditivo de aprendizaje. Por favor, déjenos saber si puede participar en esta actividad.

Dear Family,

The Theme for This Week: Traditional Tales

As the children continue to learn about traditional stories this week, they further develop an understanding of how the spoken word is shared, and they have an opportunity to strengthen their comprehension and listening skills. This week, they dramatize familiar stories, discuss a story's main ideas, and predict what might happen next in a story. Traditional stories we discuss this week include "Little Red Riding Hood," "Jack and the Beanstalk," and "The Gingerbread Man."

Learning Together

- The stories this week are "A Bicycle for Rosaura" (Monday), "Little Red Riding Hood" (Tuesday), "Jack and the Beanstalk" (Wednesday), "The Gingerbread Man" (Thursday), and "The Tortoise Wins the Race" (Friday). The telling of traditional tales is an oral tradition; ask your child to tell you the story he or she learns each day.
- Make gingerbread or gingerbread cookies with your child.
- Make up a story with your child.
- Say the finger play "Five Gingerbread Men" with your child. Ask your child where he or she thinks the last gingerbread man will go. What will happen to him?

Five gingerbread men on a cookie sheet
Still steaming hot from the oven heat.
Beto grabbed one, leaving only four.
Four gingerbread men by the oven door.
Mackenzie snatched one, leaving only three.
Three little men now cooling
through and through.
Ryan took one, leaving only two.
Two gingerbread men ready to run
Corinne grabbed one, leaving only one.
One little man opening his eyes.
Look out! Out the door he flies.

Visiting the Library

The Gingerbread Man by Paul Galdone

Nursery Tales Around the World retold by Judy Sierra

Jack and the Beanstalk by Lorinda Bryan Cauley

Helping Out

Next week, we will study cowboys and cowgirls. Your child will need a sock and a coat-hanger tube to make a stick horse on Thursday. Also, we will dress in western clothes for a rodeo party on Friday. If you do not have western clothing, just dress your child in jeans. We will have some accessories at school.

We will learn about measurement in math. Please let your child select an item from home that can be used to measure things and bring that item to school on Thursday. This might be a ruler, a measuring tape, a yardstick, a measuring spoon, or a measuring cup.

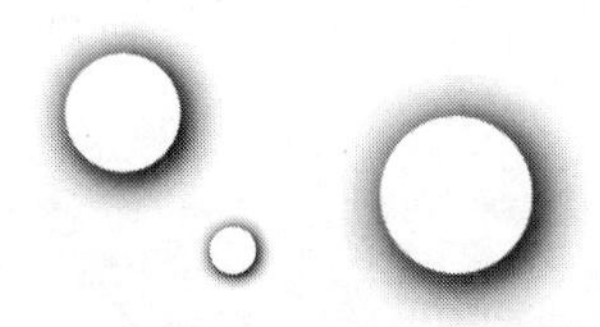

Estimada familia:

Tema de la semana: Cuentos tradicionales

A medida en que los niños aprendan más acerca de los cuentos tradicionales en esta semana, ellos desarrollarán una mejor comprensión acerca de cómo se compone el lenguaje oral y además fortalecerán sus destrezas auditivas y de comprensión. Asimismo en esta semana, ellos dramatizarán cuentos y discutirán acerca de las ideas principales y tendrán la oportunidad de pronosticar los sucesos que ocurrirán en el cuento. Los cuentos tradicionales que leeremos en esta semana incluyen: "Caperucita roja" (Little Red Riding Hood), "Jack y la guía de frijoles" (Jack and the Beanstalk) y "El hombrecito de jengibre" (The Gingerbread Man).

Aprendiendo juntos

- Las historias que veremos en esta semana son las siguientes: para el lunes, "Una bicicleta para Rosaura" (A Bicycle for Rosaura); el martes, "Caperucita roja"; el miércoles, "Jack y la guía de frijoles"; el jueves, "El hombrecito de jengibre"; y el viernes "La tortuga y la liebre". Contar cuentos es una tradición oral; pregúntele acerca del cuento que aprenderá cada día.
- Prepare pan o galletas de jengibre con su hijo(a).
- Escriban un cuento.
- Recite con su hijo(a) y haga movimientos con los dedos para representar la siguiente rima "Cinco hombres de jengibre". Pregúntele adónde piensa que irá el último hombrecito en la historia. ¿Qué es lo que le pasará a él?

Cinco hombres de jengibre
en una bandeja de hornear.
Todavía humeantes del calor están.
Beto agarró uno y dejó sólo cuatro.
Cuatro hombres de jengibre
en el horno a las cuatro.
Mackenzie tomó uno y dejó sólo tres.
Tres hombrecitos enfriándose y enfriándose.
Ryan tomó uno y dejó sólo dos.
Dos hombres de jengibre, listos para correr.
Corinne robó uno y dejó sólo uno.
Un hombrecito está abriendo los ojos.
¡Cuidado! Por la puerta sale volando va.

De visita en la biblioteca

Un regalo para Rosita por Marion Held

Caperucita roja por Zoraida Vazquez

Enanos y gigantes por Max Bollinger

Ayudando

La próxima semana, estudiaremos a los vaqueritos y las vaqueritas. Su hijo(a) necesitará para el jueves un calcetín y un gancho para ropa para hacer un caballo de palo. También, tendremos una fiesta de vaqueros el viernes y nos vestiremos con ropa alusiva al oeste. Si por alguna razón su hijo(a) no tiene ropa alusiva al tema del oeste, por favor, vístalo(a) con pantalones de mezclilla. Nosotros proveeremos algunos accesorios para que los niño(a)s se los pongan ese día.

Nosotros aprenderemos en matemáticas el concepto de *medida*. Por favor, permita que su hijo(a) escoja un objeto en su casa que sirva para medir cosas y que lo traiga a la escuela el viernes. Este objeto puede ser una regla, una cinta para medir, una medida para yardas, una cuchara o una taza para medir.

cut

Instructions

1. Allow your child to color or decorate the list of activities.
2. Cut out the list along the dotted line.
3. If you wish to reinforce the paper list, help your child glue the cutout to a piece of cardboard.
4. Allow the glued list to dry for several minutes, and then help your child cut the cardboard into the shape of the list.
5. Attach the list to the refrigerator by using magnets or by attaching a strip of magnetic tape to the back of the list.
6. Use the list as a reminder to do these fun activities with your child throughout the month!

cut

February

- Show your child a calendar page for February. Point out any special dates for your family, such as birthdays, celebrations, and holidays. Explain that Groundhog Day is always celebrated on February 2nd. Tell your child that there is a legend that states that if a groundhog sees his shadow on this day, there will be six more weeks of winter. Go outside and see if you can see your shadow.
- Give your child dress-up clothes to explore. Be sure to add some accessories, such as ties, scarves, jewelry, and hats.
- Make hot chocolate with your child. Have him or her add one marshmallow for each year of his or her age.
- Make valentines with your child. Tell your child to whom you will be giving your special valentines and why.
- While riding in the car, have your child see how many different transportation vehicles he or she can find. Be sure to include skates, bicycles, trains, and planes.

cut

Instrucciones

1. Permita que su hijo(a) decore o colore la lista de actividades.
2. Sigan la línea de puntos y recorten la lista.
3. Si ustedes desean, pueden reforzar la lista de papel con cartoncillo. Ayude a su hijo(a) a que la pegue en un pedazo de cartoncillo para reforzarla.
4. Deje que el cartoncillo se seque por unos minutos, y después ayude a su hijo(a) para que recorte la lista.
5. Peguen la lista de actividades en su refrigerador o nevera. Utilicen imanes o tiras de cinta magnética al reverso del cartoncillo para pegarlo al refrigerador.
6. ¡Utilice la lista como recordatorio para hacer estas actividades divertidas con su hijo(a) durante el transcurso del mes!

cut

Febrero

- Muestre a su hijo(a) el calendario en la página del mes de febrero. Señale las fechas especiales para su familia tales como cumpleaños, celebraciones y días festivos. Explíquele que el Día de la Marmota siempre se celebra el 2 de febrero. Dígale a su hijo(a) que existe una leyenda que estipula que si la marmota ve su sombra en ese día, sólo quedarán seis semanas más de invierno. Vayan afuera y vean si ustedes pueden ver sus sombras.
- Disponga de ropa para que su hijo(a) la explore. Asegúrese de incluir cosas tales como corbatas, bufandas, alhajas y sombreros.
- Preparen chocolate caliente. Déjelo que agregue un malvavisco por cada año que cumpla.
- Hagan tarjetas para el Día de San Valentín. Dígale a su hijo(a) a quién le dará usted tarjetas especiales del Día de San Valentín y porqué.
- Cuando vaya en coche, pida a su hijo(a) que cuente los diferentes tipos de vehículos de transporte que pueda encontrar. Díle que puede incluir patines, bicicletas, trenes y aviones.

Dear Family,

The Theme for This Week: Cowgirls and Cowboys

Most children have been exposed to some American western heritage through the television, movies, newspapers, or magazines. The lessons this week cover topics that include the practical reasons for western attire, the weather "out on the range," trail rides, and rodeos. Also this week, children have the opportunity to practice using complete sentences and speaking in small groups.

Learning Together

- View a western show on television with your child. Discuss the western attire with your child. We learn why cowboys and cowgirls wear wide-brimmed hats and boots. Ask your child to explain the reasons to you.
- Discuss any experiences you have had with rodeos, riding horses, or seeing a real western town with your child. If your child has had any of these experiences, remind him or her of the event.
- Listen to country-western music on the radio or on a CD. Discuss the things that make country-western music unique, such as the instruments that accompany the music, the stories within the songs, and the tempo of the music.
- Teach your child a western or campfire song. In case you do not have one in your repertoire, here are the words to "Home on the Range."

Oh, give me a home where the buffalo roam,
And the deer and the antelope play,
Where seldom is heard a discouraging word.
And the sky is not cloudy all day.

(Chorus:)
Home, home on the range!
Where the deer and the antelope play,
Where seldom is heard a discouraging word.
And the sky is not cloudy all day.

Visiting the Library

Armadillo Rodeo by Jan Brett
Cowboys of the West by Russell Freedman
Pony Rider by Walker Chandler
Rodeo by Cheryl Walsh

Helping Out

Next week, we will study transportation. Please send a couple of pictures from a family vacation to school next Friday. If you do not have vacation photos, select a photo from a magazine of a spot you and your child would like to visit.

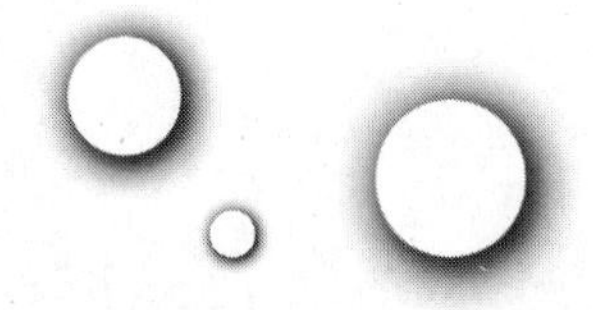

Estimada familia:

Tema de la semana: Vaquerítas y vaqueritos

La mayoría de los niños han estado expuestos a alguna herencia americana del oeste, ya sea por medio de la televisión, las películas, los periódicos o las revistas. Las lecciones de esta semana incluirán tópicos que presentarán las razones prácticas de los atuendos del oeste, clima en el campo, rastreos y rodeos. También en esta semana, los niños tendrán la oportunidad de practicar el uso de oraciones completas y conversar en grupos pequeños.

Aprendiendo juntos

- Vean un programa del oeste en la televisión. Conversen acerca de los atuendos del oeste. Nosotros aprenderemos el porqué los vaqueritos y las vaqueritas llevan puestos sombreros con copas amplias y botas. Pida a su hijo(a) que le explique el porqué.
- Comente con su hijo(a) sobre las experiencias que usted haya tenido con rodeos, o montando caballos o si ha visto un pueblo del oeste en vivo. Si su hijo(a) ha tenido alguna de estas experiencias recuérdele el evento.
- Escuchen música ranchera o country en el radio o en un disco compacto. Comente con su hijo(a) acerca de los aspectos que hacen única la música ranchera del oeste tales como los instrumentos que acompañan la música, las historias de las canciones y el tiempo de la música.
- Enseñe a su hijo(a) una canción del oeste o de campamento. En caso de que no tenga alguna en su repertorio, aquí está la letra de la siguiente canción "Hogar, hogar en el campo".

Oh, dame un hogar, donde los búfalos vaguen,
y el venado y el alce jueguen,
donde nunca se oye, una palabra deprimente.
Y el cielo siempre claro está.
¡Hogar, hogar en el campo!
Donde el venado y el alce jugear,
donde nunca se oye una palabra deprimente.
Y el cielo siempre claro está.

De visita en la biblioteca

La leyenda del pincel indio por Tomie dePaola

Pequeño vaquero por Sue Heap

Ayudando

La próxima semana estudiaremos los medios de transporte. Por favor, envíe a la escuela fotografías donde esté su familia de vacaciones para el próximo viernes. Si usted no tiene fotografías donde estén de vacaciones, recorte una fotografía del lugar que les gustaría visitar.

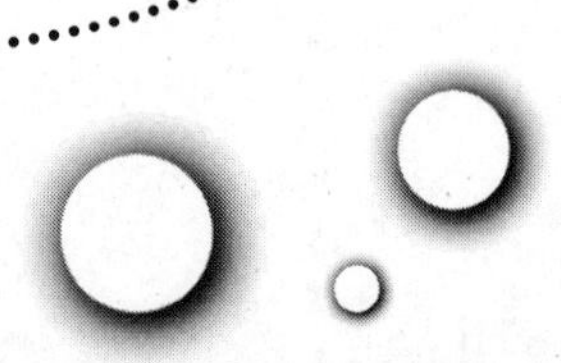

Dear Family,

The Theme for This Week: Transportation

Although children may not have experienced many modes of travel firsthand, most of them have seen airplanes or helicopters in the air, boats on the water, trains on tracks, or cars and buses on roads. It is important for the children to recognize a number of modes of transportation and to begin to consider how transportation helps our society function.

Learning Together

- Sit with your child and look through any vacation photos you may have. Remind him or her about the trip if he or she can remember it. If your child was too young to remember the trip, tell him or her about how you traveled to the location and what you did while you were there. Select some photos your child can share with the class on Friday. If you do not have vacation photos, select a photo from a magazine of a spot you and your child would like to visit.
- Discuss future plans for a trip. Show your child on a map the location to which you are planning to travel.
- Show your child the luggage you use for packing your things. Pretend you are taking a trip and describe to your child what things you would be sure to put inside the suitcase.
- Sing "Wheels on the Bus" with your child. If you and your child have ridden on a bus, discuss the experience.

The wheels on the bus go round and round, *(Move hands in circular motion.)*
round and round,
round and round.
The wheels on the bus go round and round,
All around the town. *(Extend arms up and out.)*

(Other verses:)

The wipers on the bus go swish, swish, swish . . . *(Sway hands back and forth.)*

The baby on the bus goes, "Wah, wah, wah". . . *(Rub eyes.)*

People on the bus go up and down . . . *(Stand up, sit down.)*

The horn on the bus goes beep, beep, beep . . . *(Pretend to beep horn.)*

The money on the bus goes clink, clink, clink . . . *(Drop change.)*

The driver on the bus says, "Move on back". . . *(Make hitchhiking movement.)*

Visiting the Library

The Relatives Came by Cynthia Rylant

The Foot Book by Dr. Seuss

Through Moon and Stars and Night Skies by Ann Turner

Sheep in a Jeep by Nancy Shaw

Wheels on the Bus by Raffi

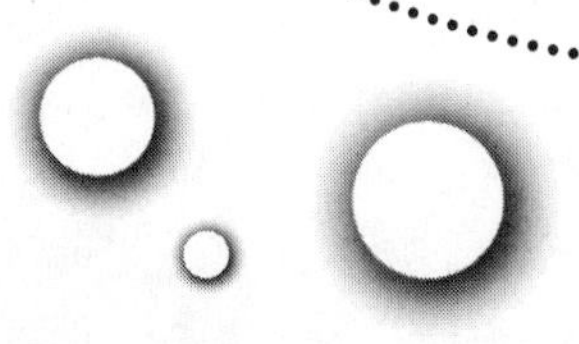

Estimada familia:

Tema de la semana: Medios de transporte

Aunque quizás los niños no han experimentado directamente muchas formas de viajar, la mayoría de ellos han visto aviones y helicópteros en el aire, barcos en el agua, trenes en los rieles, coches y autobuses en las carreteras. Es importante que los niños identifiquen los medios de transporte y que comiencen a tomar en cuenta la ayuda que proveen para el buen funcionamiento de nuestra sociedad.

Aprendiendo juntos

- Siéntese con su hijo(a) y vean las fotografías que tengan de algunas vacaciones. Recuérdele del viaje si es que ya se le olvidó. Y si su hijo(a) era muy pequeño, dígale cómo viajaron y que hicieron en el viaje. Seleccione algunas fotos de su hijo(a) para que las muestre el viernes en la clase. Si usted no tiene fotografías de sus vacaciones, recorte una foto de una revista del lugar que les gustaría visitar.
- Conversen acerca de sus planes futuros para un viaje. Muestre a su hijo(a) el mapa del lugar que usted está planeando viajar.
- Muéstrele el equipaje que utiliza para empacar sus cosas. Pretenda que usted va a viajar y descríbale a su hijo(a) las cosas que con toda seguridad llevará en su maleta.
- Cante con su hijo(a) la canción, "Ruedas del bus". Si usted y su hijo(a) han viajado en bus, comente sus experiencias.

Las ruedas del bus la vuelta dan,
la vuelta dan, la vuelta dan. *(Haga un círculo con las manos.)*
Las ruedas del bus la vuelta dan,
por toda la ciudad. *(Extienda los brazos por arriba y al frente.)*

(Versos adicionales:)
Los limpiaparabrisas hacen chui, chui, chui . . . *(Muévase las manos de un lado al otro.)*
El bebé en el bus dice: —Bua, bua, bua . . . *(Frótese los ojos con las manos.)*
La gente del bus sube y baja, sube y baja, sube y baja . . . *(Párese, siéntese.)*
La corneta del bus hace pi, pi, pi . . . *(Finja sonar la corneta.)*
El dinero del bus hace plin, plin, plin . . . *(Finja dejar caer las monedas.)*
El chófer del bus dice: —Váyanse atrás . . . *(Señale hasta atrás.)*

De visita en la biblioteca

Los zapaticos de Rosa por José Martí

Albertin arda arriba: el abecedario por Nancy Maria Tabor

¿A dónde volamos hoy? por Sandy Damashek

Clifford va de viaje por Norman Bridwell

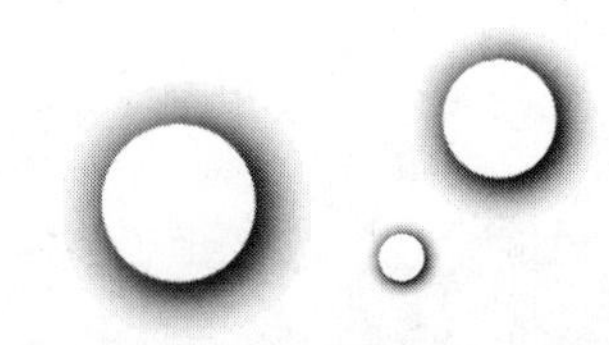

Dear Family,

The Theme for This Week: Travel

As the children begin to examine the relationship between transportation and travel, they also begin to think about various means of human travel and about how animals and objects travel. Skills practiced this week include vocabulary, understanding cause-and-effect relationships, drawing conclusions, listening, and classification.

Learning Together

- Fly paper airplanes with your child. Show him or her techniques for increasing the airborne time of each "flight." See whose plane can travel the greatest distance. Use a measuring instrument to see how far your plane traveled.
- Discuss the means of travel your child uses to get to school. Does he or she walk, take a bus, or ride in a car? Discuss ways you travel to other locations. How do you get to the grocery store, grandmother's house, and the park?
- Point out airplanes in the sky, buses and trucks on the highway, and trains on tracks. Use your imagination to play pretend games with your child. Where do you think the plane is going? What do you think the truck is carrying in its trailer? Where has the train been?
- Sing "A Bicycle Built for Two" with your child. Discuss ways your child can travel such as on his or her tricycle/bicycle, on skates, by feet, and on skateboards. You might want to say a word or two about safety, for example, watching for traffic, wearing protective gear, and staying close to home.

Daisy, Daisy, give me your answer true.
I'm half crazy all for the love of you.
It won't be a stylish marriage.
I can't afford a carriage.
But you'll look sweet, upon the seat
Of a bicycle built for two.

Visiting the Library

Almost Famous Daisy by Richard Kidd

Gilberto and the Wind by Maria Hall Ets

The Ox Cart Man by Donald Hall

D. W. Rides Again! by Marc Brown

Helping Out

If we do not have a baby picture of your child on file, we will need one next week when we study celebrations. We will celebrate the birth and growth of each child. Also, we are collecting knee-high socks, egg cartons, shoeboxes, empty toilet-paper tubes, and plastic lids for a lesson on recycling and reusing materials. Please send any of these items you have to school by Wednesday of next week.

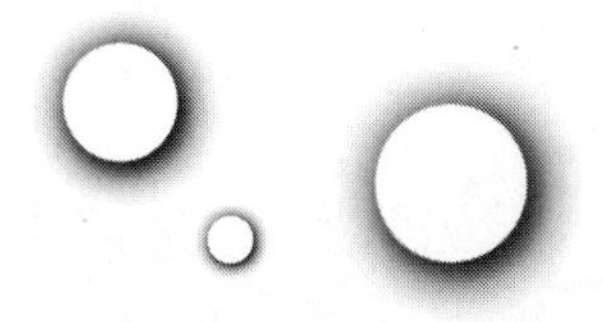

Estimada familia:

Tema de la semana: El viaje

Conforme los niños empiezan a identificar la relación que existe entre los medios de transporte y el viaje, ellos también comenzarán a pensar en los medios de transporte de humanos, animales y objetos de viaje. Las siguientes son algunas de las destrezas que practicarán los niños esta semana: vocabulario, comprender las relaciones de causa y efecto, sacar conclusiones, escuchar y clasificar.

Aprendiendo juntos

- Vuele aviones de papel con su hijo(a). Muéstrele las técnicas que incrementan el tiempo en que el avión es llevado por el aire en cada "vuelo". Vean cúal avión viaja la distancia más larga. Y midan la distancia con un instrumento de medida para ver cuánto recorrió el avión.
- Comenten acerca de los medios de transporte que su hijo(a) utiliza para ir a la escuela. ¿Ella(él) camina, toma el autobús, o va en coche? Comenten acerca de las formas en que viajan a los diferentes lugares. ¿Cómo va a la tienda de abarrotes, con su abuela, a casa y al parque?
- Apunte hacia los aviones que pasan por el cielo, los autobuses y camionetas que van en las carreteras, y los trenes que van sobre rieles. Utilice su imaginación para jugar a simular con su hijo(a). Pregúntele: ¿adónde te imaginas que va ese avión? ¿qué piensas que lleva el camión en la caja? ¿dónde crees que ha estado el tren?
- Diga el canto con su hijo(a), "El avión". Comente acerca de los medios en que su hijo(a) puede viajar como su triciclo, bicicleta, patines, a pie y/o en patineta. Quizás usted quiera mencionar una que otra palabra acerca de la seguridad, por ejemplo, ver cuidadosamente a los dos lados de la calle antes de atravesar, llevar puestos accesorios de protección y no alejarse de la casa.

El avión tiene grandes alas.	*(Extienda los brazos desde un lado al otro.)*
Las hélices dan vueltas y cantan.	*(Mueva los brazos en un círculo.)*
El avión va para arriba,	*(Bájense los brazos.)*
El avión va para abajo,	*(Bájense los brazos.)*
El avión vuela alto,	*(Extienda los brazos desde un lado al otro.)*
Sobre nuestra ciudad.	*(Dése una vuelta.)*

De visita en la biblioteca

Teo en avión por Violeta Denou

Gilberto y el viento por Maria Hall Ets

Un paseo por el parque por Ricardo Alcántara

En el coche por Claude Ponti

Ayudando

Si en nuestro archivo no tenemos una fotografía de su hijo(a) cuando era bebé, necesitaremos que nos envíe una foto la próxima semana para el tema de la semana Celebraciones. Nosotros celebraremos el nacimiento y crecimiento de cada uno de los niños. También estamos juntando los siguientes materiales: calcetines largos o medias hasta la rodilla, cartones de huevos vacíos, cajas de zapatos, rollos de papel higiénico y tapaderas de plástico, los necesitaremos para la lección del reciclaje y reuso. Por favor, envíe cualquiera de estos materiales para el miércoles de la próxima semana.

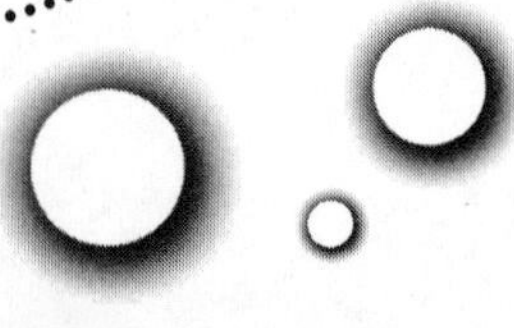

Dear Family,

The Theme for This Week: Celebrations

The lessons this week encourage the children to think about celebrating all of their achievements and accomplishments. It reinforces the importance and significance of the small steps they are taking as they mature, such as growing older and bigger, making friends, and learning to do new things.

Learning Together

- Discuss things you celebrate in your family, for example, getting a new job, learning something new, holidays, weather changes, births, weddings, and graduations. Describe the importance of each celebration. If you have special songs or traditions associated with your celebrations, be sure to include them in the discussion.
- At school, we focus on celebrating small overlooked things this week, such as learning to ride a bicycle or tie a shoe. Think of a small accomplishment or acquisition worth celebrating and plan a celebration with your child. The celebration might be a special meal or simply making a card to let someone know you are excited about his or her success or achievement.
- Make a list of things you are waiting to celebrate, and post it on your refrigerator or in another prominent place. Be sure to list the little things and to check off the things on the list that have been achieved. Plan a small celebration for each item—even if it is only patting each other on the back.
- Say the poem "All by Myself" with your child. Discuss things your child has learned to do by himself or herself, such as tying shoes, riding a bicycle, and dressing.

These are things I can do	
All by myself.	*(Point to self.)*
I can comb my hair and fasten my shoe	*(Point to hair and shoe.)*
All by myself.	*(Point to self.)*
I can wash my hands and wash my face	*(Pretend to wash.)*
All by myself.	*(Point to self.)*
I can put my toys and blocks in place	*(Pretend to put things away.)*
All by myself.	*(Point to self.)*

Helping Out

We will study spring next week. Please send any old spring clothing you may be ready to discard. We will use the items as dress-up clothes in our Dramatic Play Learning Center.

Visiting the Library

Vejigantes masquerader by Lili Delacre

Now I'm Big by Margaret Miller

The Earth Is Good by Michael Demunn

Matthew's Meadow by Corinne Bliss

Moira's Birthday by Robert Munsch

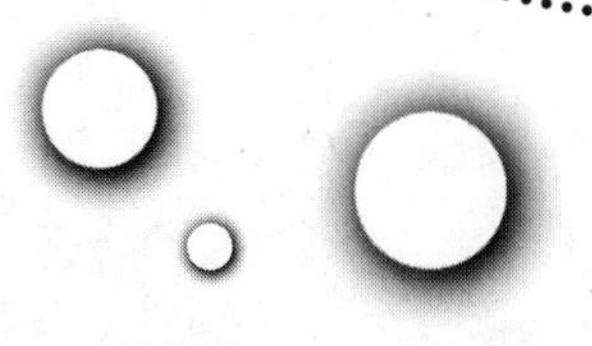

Estimada familia:

Tema de la semana: Celebraciones

Las lecciones de esta semana permitirán a los niños considerar la celebración de sus logros y éxitos. Además reforzará la importancia y significado de los pasos pequeños que dan conforme maduran, tales como cumplir años y crecer, hacer amigos y aprender a hacer cosas nuevas.

Aprendiendo juntos

- Comente acerca de las cosas que celebra con su familia, por ejemplo, encontrar un nuevo empleo, aprender algo nuevo, días festivos, cambios de clima, cumpleaños, bodas y graduaciones. Describa la importancia de cada una de las celebraciones. Si usted tiene alguna canción o tradición especial que esté asociada con cada una de estas celebraciones, asegúrese de incluirlas en la conversación.
- En la escuela nos enfocaremos en las cosas pequeñas que están a la vista, tales como aprender a andar en bicicleta o abrocharse las agujetas de los zapatos. Piense en un logro pequeño o una adquisición de su hijo(a) que valga la pena celebrar y hagan planes juntos para celebrarla. La celebración puede ser desde una comida especial, hacer una tarjeta o simplemente dejarle saber a alguien acerca de su alegría por los logros o éxitos de su hijo(a).
- Haga una lista de las cosas que espera celebrar y póngalas en el refrigerador o en alguna otra parte que sea muy visible. Asegúrese de escribir los detalles pequeños y tachar o borrar las cosas que han sido logradas. Planee una celebración pequeña para cada detalle aunque sólo sea una palmadita en la espalda.
- Recite el siguiente poema con su hijo(a), "Éstas son las cosas que me gusta hacer". Comente acerca de las cosas que su hijo(a) hace por sí solo(a), como amarrarse las agujetas de los zapatos, pasear en bicicleta, cambiarse de ropa y todo lo demás.

Éstas son las cosas que me gusta hacer,
me gusta hacer, me gusta hacer,
éstas son las cosas que me gusta hacer
yo sé un truco o dos.

(Haga acciones para las palabras para los versos adicionales.)
Ésta es la forma que leo un libro . . .
Yo sé un truco o dos.
Ésta es la forma que pinto un cuadro . . .
Yo sé un truco o dos.
Ésta es la forma que monto mi bicicleta . . .
Yo sé un truco o dos.
Ésta es la forma que hago rompecabezas . . .
Yo sé un truco o dos.
Ésta es la forma que lanzo pelotas . . .
Yo sé un truco o dos.
Ésta es la forma que ayudo a papá . . .
Yo sé un truco o dos.
Ésta es la forma que subo a un árbol . . .
Yo sé un truco o dos.

De visita en la biblioteca

Hoy fue mi primer día de escuela por Karen Fandsen

El pañuelo de seda por Alma Flor Ada

El agua y tú por Clarita Kohen

Ayudando

La próxima semana estudiaremos la primavera. Por favor envíe cualquier ropa de primavera usada que ya no necesite. La necesitaremos para que los niños se disfracen en nuestro Centro de dramatización y aprendizaje.

Instructions

1. Allow your child to color or decorate the list of activities.
2. Cut out the list along the dotted line.
3. If you wish to reinforce the paper list, help your child glue the cutout to a piece of cardboard.
4. Allow the glued list to dry for several minutes, and then help your child cut the cardboard into the shape of the list.
5. Attach the list to the refrigerator by using magnets or by attaching a strip of magnetic tape to the back of the list.
6. Use the list as a reminder to do these fun activities with your child throughout the month!

cut

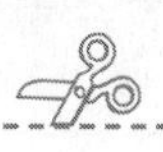

cut

March

- Show your child a calendar page for March. Point out any special dates for your family, such as birthdays, celebrations, and holidays.
- Fly a kite with your child.
- Have your child count how many baby steps it takes to get from the front door to his or her room. Then have your child count how many giant steps it takes to cover the same distance.
- Play a game called Rhyme Time. Give your child a word, such as *blue,* and see how many rhyming words, nonsense or real, he or she can think of that rhyme with your word.
- Do some exercises with your child each morning.

Instrucciones

1. Permita que su hijo(a) decore o colore la lista de actividades.
2. Sigan la línea de puntos y recorten la lista.
3. Si ustedes desean, pueden reforzar la lista de papel con cartoncillo. Ayude a su hijo(a) a que la pegue en un pedazo de cartoncillo para reforzarla.
4. Deje que el cartoncillo se seque por unos minutos, y después ayude a su hijo(a) para que recorte la lista.
5. Peguen la lista de actividades en su refrigerador o nevera. Utilicen imanes o tiras de cinta magnética al reverso del cartoncillo para pegarlo al refrigerador.
6. ¡Utilice la lista como recordatorio para hacer estas actividades divertidas con su hijo(a) durante el transcurso del mes!

cut

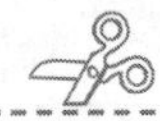

cut

Marzo

- Muestre a su hijo(a) el calendario en la página del mes de marzo. Señale las fechas especiales para su familia tales como cumpleaños, celebraciones y días festivos.
- Saquen a volar un papalote.
- Dígale a su hijo(a) que cuántos pasitos se hacen desde la puerta de enfrente de su casa hasta su recámara. Después pídale que mida la misma distancia con pasos gigantes.
- Participe con su hijo(a) en un juego llamado "tiempo y rima". Dígale una palabra como por ejemplo *blue* (azul) y vea cuántas palabras puede pensar él(ella) con relación a la palabra que usted le dijo. Considere las palabras que rimen, que no tengan sentido y palabras reales.
- Haga algunos ejercicios con su hijo(a) por las mañanas.

Dear Family,

The Theme for This Week: Spring

We have talked several times this year about the fact that all regions of the world do not experience the seasons in the same way. This week, we talk about spring as the children compare what they know about the other seasons to what spring is like. They are encouraged to share their own accounts of springtime experiences.

Learning Together

- Take a walk around the neighborhood in search of the signs of spring, such as flowers blooming and insects buzzing.
- Talk with your child about the differences in his or her winter and spring clothing. Which type of clothing is heavier? Which type is more comfortable?
- Plant some flower seeds and monitor their growth. Discuss the stages of growth that you expect to see, ranging from tiny green plants to blooming flowers.
- Read and perform the action poem "The Little Seeds." Point out that the seeds you planted will follow the same stages as those described in the poem.

(Suit actions to song.)
The little seeds are under the ground,
under the ground, under the ground.
The little seeds are under the ground,
and they begin to grow.

(Other verses:)
The stem of the plant begins to grow . . .
and the leaves begin to appear.
The leaves of the plant make the plant food . . .
and soon the flowers will grow.
The flowers of the plant open up . . .
and make more little seeds.
The little seeds fall to the ground . . .
and they are born again.

Visiting the Library

Flower Garden by Eve Bunting

The Very Hungry Caterpillar by Eric Carle

When Spring Comes by Robert Maass

Spring Is Here by Taro Gomi

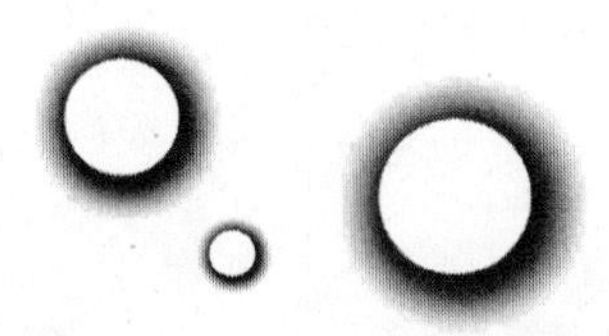

Estimada familia:

Tema de la semana: La primavera

Nosotros ya hemos hablado este año más de una vez acerca de que no todas las regiones del mundo experimentan las estaciones del año de la misma manera. Esta semana, hablaremos acerca de la primavera conforme los niños comparan lo que saben acerca de las otras estaciones en comparación con la primavera. Los motivaremos para que den sus propias razones acerca de las experiencias que han tenido de la primavera.

Aprendiendo juntos

- Vayan a dar un paseo alrededor de la casa donde viven para que busquen señales de la primavera como florecimiento de plantas y zumbido de insectos.
- Comente con su hijo(a) acerca de la ropa diferente que lleva puesta durante el invierno y la primavera. ¿Qué tipo de ropa es más pesada? ¿cúal ropa es más confortable?
- Plante algunas semillas y observe periódicamente su crecimiento. Converse acerca de las etapas que ustedes observarán desde las pequeñas plantitas verdes hasta cuando florean.
- Reciten y dramaticen el siguiente poema "Partes de las plantas". Señale que las semillas que plantaron pasarán por las mismas etapas descritas en el poema.

(Haga unas acciones para la canción.)
Las semillas están bajo la tierra,
bajo la tierra, bajo la tierra.
Las semillas están bajo la tierra,
y empiezan a crecer.

(Versos adicionales:)
El tallo de la planta empieza crecer . . .
y las hojas empiezan a salir.
Las hojas de la planta hacen la comida . . .
y la hacen crecer.
Las flores de la planta se abren . . .
y hacen más semillas.
Las semillas se caen al suelo . . .
y vuelven a nacer.

De visita en la biblioteca

Las mariposas por David Cutts

La oruga muy hambrienta por Eric Carle

El papalote por Alma Flor Ada

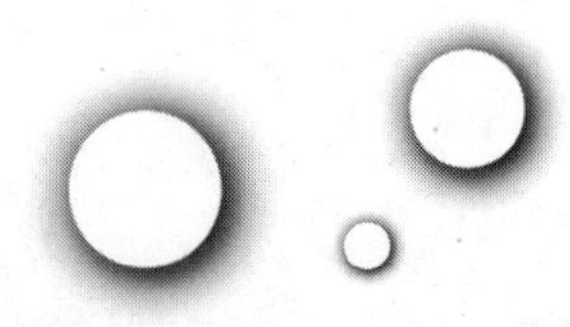

Dear Family,

The Theme for This Week: Weather

As the children have new experiences and observations, they develop vocabulary to describe the world around them. One of the most observable features of their world is the weather, and specifically, what the different types of weather feel like and look like. As the children discuss seasons and what clothing is typically worn during those seasons, they observe and note characteristics of weather, and they begin to think about weather in other geographic areas.

Learning Together

- Discuss daily weather conditions with your child.
- Watch the television weather report with your child. Call attention to the reporter's weather predictions. Watch the weather. Were the reporter's predictions accurate?
- Discuss inclement weather safety issues with you child. What kind of inclement weather conditions are likely to occur in your area? What should your family do during a thunderstorm? A hurricane? A tornado?
- Sing "Rain, Rain, Go Away" with your child. Ask your child what he or she likes to do on a rainy day when playing outside is impossible.

Rain, rain, go away.
Little children want to play.
Clouds, clouds, go away.
Little children want to play.
Thunder, thunder, go away.
Little children want to play.
Rain, rain, come back soon.
Little flowers want to bloom.

Visiting the Library

I Like Weather by Aileen Fisher

Let's Find Out About the Sun by Martha and Charles Shapp

Rain by Robert Kalan

Helping Out

Our theme next week is Real and Make-Believe. We are collecting old costumes for our Dramatic Play Learning Center. Please let us know if you have costumes you can donate.

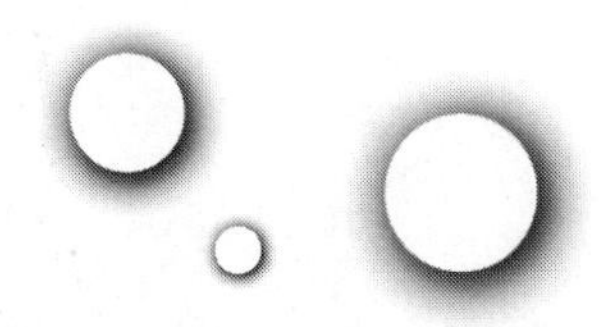

Estimada familia:

Tema de la semana: El clima

Conforme los niños tienen nuevas experiencias y hacen observaciones, desarrollan vocabulario para poder describir el mundo que los rodea. Uno de los rasgos más observables del mundo es el clima y, específicamente, cómo se sienten los diferentes tipos de clima y en qué se parecen. Conforme los niños aprenden y discuten acerca de las estaciones y la ropa que llevan puesta típicamente durante estas estaciones, ellos observarán y notarán las características del clima y comenzarán a pensar acerca del clima en otras áreas geográficas.

Aprendiendo juntos

- Converse diariamente sobre las condiciones del clima con su hijo(a).
- Vea el pronóstico del clima en la televisión y déle la información a su hijo(a). Señale las predicciones del reportero del tiempo. Preste atención al clima. ¿Fueron certeras las predicciones del reportero?
- Comente con su hijo(a) acerca de las inclemencias del clima y los principios de seguridad. ¿Cuáles son las inclemencias del clima que ocurren con mayor frecuencia en su área? ¿Qué debería hacer su familia durante una tormenta? ¿durante un huracán? ¿un tornado?
- Cante con su hijo(a) "Lluvia, lluvia, vete lejos". Pregúntele a su hijo(a) lo que le gusta hacer en un día lluvioso ya que jugar afuera es imposible.

Lluvia, lluvia aléjate.
Los niños quieren jugar.
Nubes, nubes aléjense.
Los niños quieren jugar.
Truenos, truenos aléjense.
Los niños quieren jugar.
Lluvia, lluvia regresa pronto.
Las florecitas quieren brotar.

De visita en la biblioteca

Elmer y el clima por David McKee

Jugamos bajo la lluvia por Angela Shelf Medearis

¿A dónde vas, osito polar? por Hans De Beer

El libro de las nubes por Tomie dePaola

Ayudando

Nuestro tema de la próxima semana será Realidad y fantasía. Nosotros estamos coleccionando disfraces viejos para nuestro Centro de dramatización y aprendizaje. Por favor, déjenos saber si usted tiene disfraces para donar a la escuela. ¡Muchas gracias!

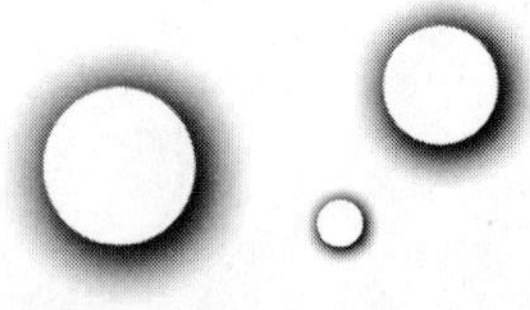

Dear Family,

The Theme for This Week: Real and Make-Believe

Although children in prekindergarten typically have well-developed imaginations, it is very important that they recognize the difference between reality and fantasy. Through discussions of various literature selections, children begin to think about what makes certain events in these stories real or make-believe.

Learning Together

- Play a game of Real and Make-Believe. Make short statements, and have your child tell you if the statement is true (real) or false (make-believe). For example, if you say, "Cats know how to fly," your child should respond, "False" or "Make-believe." If you say, "Trains run on tracks," your child should respond, "True" or "Real."
- When you read stories to your child, question him or her as to which parts of the stories could really happen and which parts could not really happen.
- Create a story with your child that makes full use of your imagination. Your story might be about a dragon that saves the neighborhood from aliens or a ten-foot-tall boy who has to adapt his daily activities to accommodate his height.
- Say "Hey, Diddle, Diddle" with your child. Ask your child to name the actions in the rhyme that are make-believe.

Hey, diddle, diddle,
The cat and the fiddle.
The cow jumped over the moon.
The little dog laughed to see such a sight,
And the dish ran away with the spoon.

Visiting the Library

The Cat in the Hat by Dr. Seuss

Pretend You're a Cat by Jean Marzollo

There's a Monster Under My Bed by James Howe

Favorite tales from
Hans Christian Andersen

Helping Out

Next week, we will study bugs and insects. We will use egg cartons and boxes to build bug replicas in class. Please send any small boxes or egg cartons you want to donate by Monday. Also, we will look outdoors for insects. Please make sure we know about any allergies to any bugs or insects your child may have.

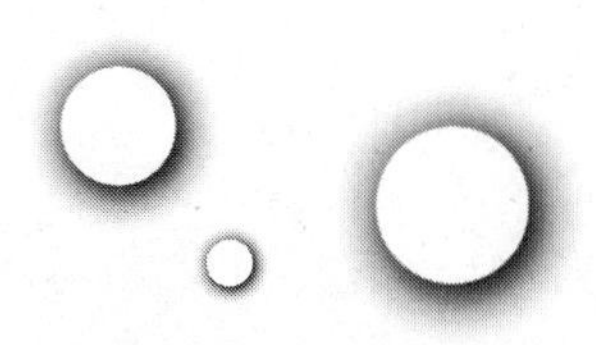

Estimada familia:

Tema de la semana: Realidad y fantasía

Aunque los niños en el preescolar típicamente han desarrollado su imaginación, es muy importante que ellos reconozcan las diferencias entre realidad y fantasía. A través de discusiones en la clase y varias selecciones literarias, los niños comenzarán a pensar acerca de lo que hace que ciertos eventos en las historias sean reales o de fantasía.

Aprendiendo juntos

- Jueguen a un juego de realidad y fantasía. Haga frases cortas y deje que su hijo(a) le diga si la frase es verdadera (realidad) o si es falsa (fantasía). Por ejemplo, si usted dice —Los gatos saben como volar, —su hijo(a) debe de responder, —Falso —o —Fantasía. —Y si usted le dice —Los trenes van sobre rieles, —su hijo(a) debe responder —Verdadero —o —Realidad.
- Cuando lea historias a su hijo(a), pregúntale acerca de los episodios que realmente pasaron y los que no pasaron.
- Inventen una historia donde utilicen toda su imaginación. Su historia puede ser de un dragón que rescata su vecindario de extraterrestres o la historia de un muchacho muy alto de diez pies de estatura que tiene que adaptar su estatura a sus actividades diarias.
- Recite la siguiente rima con su hijo(a), "¡Eh, chin, chin!" Converse acerca de las partes de la rima que podrían ser realidad o fantasía.

¡Eh, chin, chin!
El gato y el violín.
La vaca sobre la luna saltó.
El perrito al ver tal cosa se rió.
Y el plato con la cuchara se escapó.

Ayudando

La próxima semana, estudiaremos insectos. Utilizaremos empaques de huevo vacíos para hacer réplicas de insectos. Por favor, envíe pequeñas cajas o empaques de huevo que usted quiera donar para esta actividad el lunes. También buscaremos insectos fuera de la escuela. Por favor, déjenos saber si su hijo(a) tiene alguna alergia a cualquier insecto.

De visita en la biblioteca

Abuela por Arthur Dorros

El perro del cerro y la rana de la sabana por Ana Maria Muchado

Silvestre y la piedcrecita magica por William Steig

Agua, agua, agua por Pat Mora

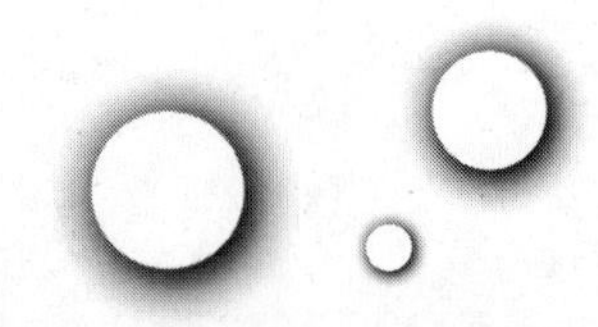

Dear Family,

The Theme for This Week: Bugs

This week, we begin a two-week discussion of insects. Most children are curious about insects. It is important when discussing insects and the roles they play in our world that any child's fear of insects not be reinforced. The lessons this week address some insects and their body parts, how different insects move or fly, and where certain insects live.

Learning Together

- Go outside with your child and look for bugs. If you know the name of the bugs or insects you find, be sure to share the name with your child.
- Toss a chicken bone or another type of food close to an anthill and observe how quickly the ants clean the bone or carry away the food item. Make sure your child remains at a safe distance from the ants.
- Talk with your child about bug safety. Make sure your child knows not to touch a bug that he or she does not recognize.
- Sing "The Ants Go Marching" with your child.

The ants go marching one by one,
Hurrah, hurrah.
The ants go marching one by one,
Hurrah, hurrah.
The ants go marching one by one,
The little one stops to suck his thumb.
And they all go marching down
To the ground
To get out
Of the rain.
BOOM! BOOM! BOOM! BOOM!

(Subsequent verses:)
two—tie her shoe
three—climb a tree
four—shut the door
five—take a dive

Visiting the Library

An Insect's Body by Joanna Cole

Inside an Ant Colony by Allan Fowler

Why Mosquitoes Buzz in People's Ears by Verna Aardema

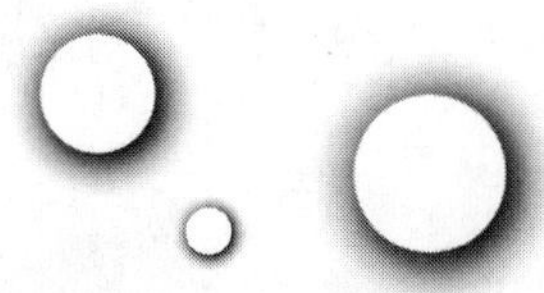

Estimada familia:

Tema de la semana: Los insectos

Empezaremos a hablar acerca de los insectos por las próximas dos semanas. La mayoría de los niños tienen curiosidad por los insectos. Es muy importante que cuando hablemos de la función que desempeñan los insectos en nuestro mundo, prestemos atención a los posibles miedos que tienen algunos niños acerca de insectos. Las lecciones de esta semana estarán enfocadas sobre algunos insectos y las partes de su cuerpo, además de diferencias en su movimiento o vuelo, y en dónde viven cierto tipo de insectos.

Aprendiendo juntos

- Vaya afuera de su casa con su hijo(a) y busque insectos. Si usted sabe los nombres de los insectos que se encuentre, asegúrese de compartirlos con su hijo(a) los nombres.
- Arroje un hueso de pollo u otro tipo de comida cerca de un colina de hormigas y observe qué tan rápido las hormigas se llevan la comida. Asegúrese que su hijo(a) se mantenga a una distancia adecuada de las hormigas.
- Hable con su hijo(a) acerca de las precauciones que tiene que tomar con los insectos. Asegúrese que él o ella sepa que no debe tocar insectos que no conozca.
- Cante con su hijo(a) la canción, "Las hormiguitas marchan".

Las hormiguitas marchan una por una
hurra, hurra.
Las hormiguitas marchan una por una
hurra, hurra.
Las hormiguitas marchan una por una,
una de ellas se chupa la patita.
Y todas siguen marchando
van marchando
y de la lluvia
van huyendo.
¡BUM! ¡BUM! ¡BUM! ¡BUM!

(Siguientes versos:)
dos, amarran sus zapatos . . .
tres, se suben a un árbol . . .
cuatro, cierran la puerta . . .
cinco, se zambullen . . .

De visita en la biblioteca

La luciérnaga Luci por Jesús Ballaz Zabalza

La hormiguita que iba a Jersualén por Grancesca Garberí

La abejita coja por Tapia de González

La canción del mosquito por Alma Flor Ada

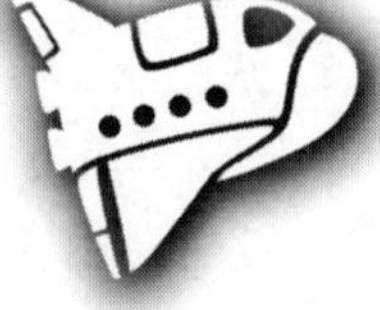

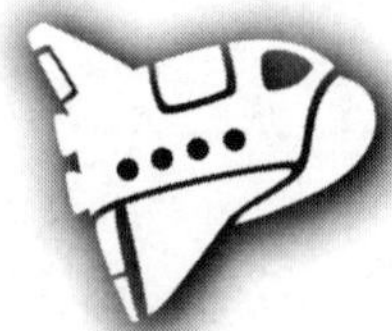

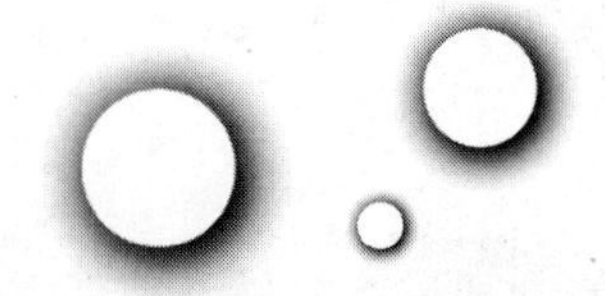

cut

Instructions

1. Allow your child to color or decorate the list of activities.
2. Cut out the list along the dotted line.
3. If you wish to reinforce the paper list, help your child glue the cutout to a piece of cardboard.
4. Allow the glued list to dry for several minutes, and then help your child cut the cardboard into the shape of the list.
5. Attach the list to the refrigerator by using magnets or by attaching a strip of magnetic tape to the back of the list.
6. Use the list as a reminder to do these fun activities with your child throughout the month!

cut

April

- Show your child a calendar page for April. Point out any special dates for your family, such as birthdays, celebrations, and holidays.
- Take a walk in a nearby field. Pick some wildflowers, and use them to decorate the dinner table.
- Look for things that are red during your drive to school or to the grocery store.
- Give your child some toothpicks, and encourage him or her to make a design with them.
- Make an obstacle course using chairs and pillows. Ask your child to walk through the course, crawl through the course, and walk backward through the course.
- Encourage your child to help you fold clothes. Talk about matching socks and folding towels into halves and quarters.

Instrucciones

1. Permita que su hijo(a) decore o colore la lista de actividades.
2. Sigan la línea de puntos y recorten la lista.
3. Si ustedes desean, pueden reforzar la lista de papel con cartoncillo. Ayude a su hijo(a) a que la pegue en un pedazo de cartoncillo para reforzarla.
4. Deje que el cartoncillo se seque por unos minutos, y después ayude a su hijo(a) para que recorte la lista.
5. Peguen la lista de actividades en su refrigerador o nevera. Utilicen imanes o tiras de cinta magnética al reverso del cartoncillo para pegarlo al refrigerador.
6. ¡Utilice la lista como recordatorio para hacer estas actividades divertidas con su hijo(a) durante el transcurso del mes!

cut

Abril

- Muestre a su hijo(a) el calendario en la página del mes de abril. Señale las fechas especiales para su familia tales como cumpleaños, celebraciones y días festivos.
- Vayan a caminar a un campo cercano y recojan flores silvestres para decorar la mesa del comedor.
- Busquen objetos rojos durante el trayecto de su casa a la escuela o supermercado.
- Déle a su hijo(a) palillos de madera o plástico para que haga un diseño con ellos.
- Hagan un camino de obstáculos usando sillas y almohadas. Pida a su hijo(a) que ande a través del camino, gatee y camine hacia atrás.
- Aliente a su hijo(a) para que le ayude a doblar la ropa, a poner en pares los calcetines y a doblar las toallas por la mitad o en cuartos.

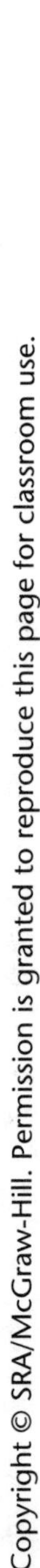

Dear Family,

The Theme for This Week: Bugs

Continuing our study of insects, this week's lessons include discussions of insects, such as ladybugs, fireflies, caterpillars, and worms. Children begin to understand that insects are important to the world in which we live. Through various literature selections and activities, children have the opportunity to compare and contrast various insects.

Learning Together

- Help your child catch an insect or a bug in a jar. Be sure to make some air holes in the lid. After your child has had time to observe the insect or bug, encourage him or her to return it to nature. Remind your child not to touch bugs that he or she does not recognize.
- Do some insect and bug movements with your child. Hop like a cricket, scurry like an ant, fly like a butterfly, and wiggle like a worm.
- Look through magazines and books for pictures of bugs. Count those you have seen before.
- Sing "The Itsy Bitsy Spider" with your child. If you have a waterspout at your house, show it to your child.

The itsy bitsy spider went up the waterspout.
Down came the rain and washed the spider out.
Up came the sun and dried up all the rain,
And the itsy bitsy spider
went up the spout again.

The big, enormous spider
went up the waterspout.
Down came the rain and washed the spider out.
Up came the sun and dried up all the rain,
And the big, enormous spider
went up the spout again.

Visiting the Library

Grasshoppers on the Road by Arnold Lobel

The Very Quiet Cricket by Eric Carle

Fireflies for Nathan by Shulamith Oppenheim

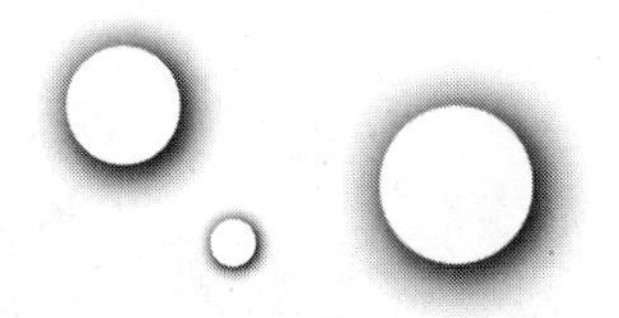

Estimada familia:

Tema de la semana: Los insectos

Continuaremos con el estudio de los insectos. En las lecciones de esta semana conversaremos acerca de algunos insectos tales como mariquitas o gallinitas, luciérnagas, orugas y gusanos. Los niños comienzan a entender que los insectos tienen una función importante en nuestro mundo. A través de varias lecturas relacionadas al tema y actividades, los niños tendrán la oportunidad de comparar y contrastar varios insectos.

Aprendiendo juntos

- Ayude a su hijo(a) a que atrape un insecto y pónganlo en un frasco. Asegúrese de hacerle hoyitos a la tapadera. Después de que su hijo haya tenido tiempo para observar el insecto, recomiende a su hijo(a) que regrese el insecto a la naturaleza. Recuerde a su hijo(a) que no toque ningún insecto que no conozca.
- Imiten juntos los movimientos que hacen los insectos como, por ejemplo, saltar como grillo, correr como hormiga, volar como mariposa y retorcerse como gusano.
- Busque fotografías de insectos en las revistas y libros y cuenten los insectos que usted ya ha visto antes.
- Cante con su hijo(a) la canción "La araña pequeñita". Si usted tiene un surtidor de agua en su casa, muéstreselo a su hijo(a).

La araña pequeñita subió, subió, subió.
Vino la lluvia y se la llevó.
Salió el sol y todo lo secó,
y la araña pequeñita subió, subió, subió.

La araña grandotota subió, subió, subió.
Vino la lluvia y se la llevó.
Salió el sol y todo lo secó,
y la araña grandotota subió, subió, subió.

De visita en la biblioteca

Saltamontes va de viaje por Arnold Lobel

El piojo y la pulga por Jordi Cots

Soy una oruga por Jean Marzollo

Olmo y la mariposa azul por Alma Flor Ada

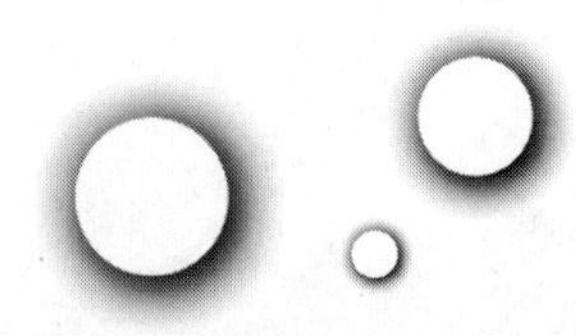

Dear Family,

The Theme for This Week: Animals

The lessons this week continue to make the children aware of the many living things with which we share our world. To do this, we focus on animals, such as llamas, whales, iguanas, and fish. Children learn about some differences between mammals and reptiles. This theme also gives us an opportunity to discuss the proper care and treatment of animals.

Learning Together

- Look at television documentaries about animals with your child.
- Visit a pet store or an animal shelter. Discuss the animals you find there.
- Look through magazines for pictures of animals. Can your child name all of the animals he or she finds?
- Read "Mothers and Their Babies" to your child. Help your child think of other mother and baby animals.

Mama cat had a kitten.
Is that the kitten's mitten?
Mama dog had a puppy.
Was this puppy chubby?
Mama cow had a calf.
Did you hear the calf laugh?
Mama hen had a chick.
Was the chick sick?
Mama horse had a colt.
Did the colt bolt?
Mama bear had a cub.
Is that the cub's tub?

Visiting the Library

The Whales' Song by Dyan Sheldon

Never Mail an Elephant by Mike Thaler

The Day Jimmy's Boa Ate the Wash by Trinka Hakes Noble

Swimmy by Leo Lionni

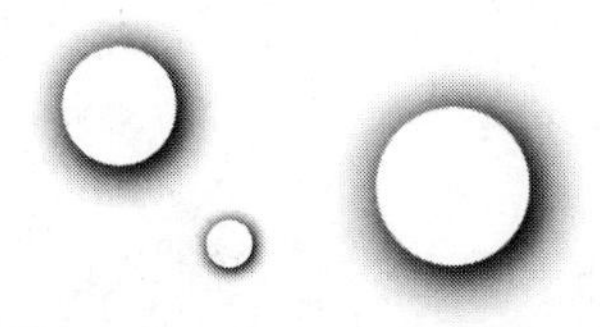

Estimada familia:

Tema de la semana: Los animales

Las lecciones de esta semana también motivarán a los niños a que se enteren de los seres vivientes que nos rodean y comparten el mundo con nosotros. Para lograr esto, nos enfocaremos en animales como las llamas, las ballenas, las iguanas y los peces. Los niños aprenderán algunas de las diferencias entre los mamíferos y los reptiles. Este mismo tema nos dará la oportunidad de conversar acerca de los cuidados y tratamientos apropiados para estos animales.

Aprendiendo juntos

- Vean en la televisión documentales acerca de animales.
- Visiten una tienda de mascotas o albergue de animales. Comenten acerca de los animales que encuentren allí.
- Busquen fotografías de animales en las revistas. ¿Puede su hijo(a) nombrar a todos los animales que encuentra?
- Lea "Mamás y sus bebés" a su hijo(a). Ayúdele a pensar en otras madres y crías.

Mamá gata tiene un gatito.
¿Es el gatito negrito?
Mamá perra tiene un cachorrito.
¿Está el cachorrito leyendo su librito?
Mamá vaca tiene un ternero.
¿Está el ternero yendo al potrero?
Mamá gallina tiene un pollito.
¿Es el pollito coloradito?
Mamá yegua tiene un potrillo.
¿Está el potrillo bebiendo agua en el río?
Mamá osa tiene un cachorrito.
¿Está el cachorrito jugando con el chorrito?

De visita en la biblioteca

El árbol de los pájaros por Jesús Ballaz

Harquin el zorro que bajó al valle por John Burningham

El gato tragón por Phyllis King

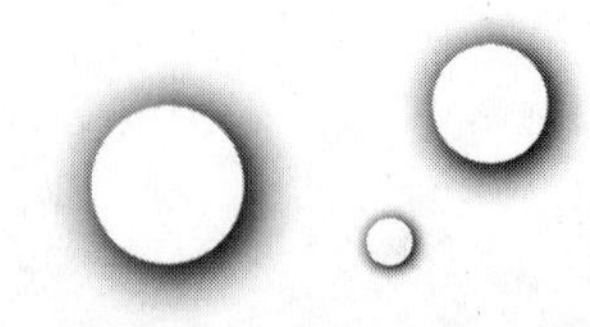

Dear Family,

The Theme for This Week: Zoo Animals

Expanding on the previous theme, Animals, this week's lessons focus specifically on the animals we encounter at the zoo. Children learn about people who work at the zoo, safety at the zoo, and how to say some animal names using American Sign Language.

Learning Together

- Take your child to the zoo. Discuss the different characteristics of the animals. Which animals have fur? Which animals have scales? Feathers? Which animals sleep in the day? Which ones sleep at night? Which animals live in water? Which animals live in trees? Which animal is your favorite? Which animal is your child's favorite?
- Imitate a zoo animal and see if your child can guess which animal you are imitating.
- Discuss animal safety with your child. Explain that it is not safe to touch animals that you do not know. It is also important to remember that only the people who own the animals should feed them.
- Do the finger play "Three Little Monkeys" with your child. Use your voice to set the mood. Have fun!

Three little monkeys sitting in a tree
(Hold up three fingers and bounce them.)
Teasing Mr. Alligator:
"Can't catch me! Can't catch me!"
(Point and shake index finger.)
Along came Mr. Alligator,
Quiet as can be—snap!
(Walk index and middle fingers up arm.)
Two little monkeys sitting in a tree.
(Hold up two fingers and bounce them. Keep counting down until there are no little monkeys.)

Helping Out

Next week, we will study farm animals. We will discuss products that come from farm animals, such as milk, eggs, and cheese. If you have any empty milk cartons or jugs, egg cartons, and/or butter containers, please send them to school. We will use them for class discussions and as props for our Dramatic Play Learning Center.

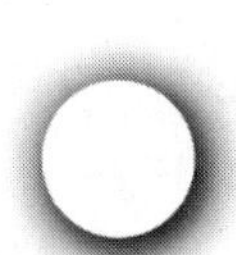

Visiting the Library

At the Zoo by Paul Simon

If I Ran the Zoo by Dr. Seuss

Gorilla by Anthony Browne

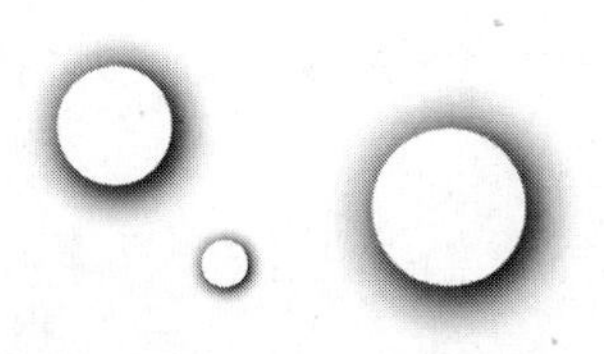

Estimada familia:

Tema de la semana: Los animales del zoológico

A partir del tema previo, Los animales, las lecciones de esta semana estarán enfocadas específicamente en los animales que encontramos en el zoológico. Los niños aprenderán acerca de las personas que trabajan en el zoológico, y aprenderán a decir nombres de animales con señales del lenguaje americano.

Aprendiendo juntos

- Lleve a su hijo(a) al zoológico. Conversen acerca de las diferentes características de los animales. ¿Cuáles animales tienen pelaje? ¿Cuáles tienen escamas? ¿Cuáles plumas? ¿Cuáles animales duermen durante el día? ¿Cuáles duermen durante la noche? ¿Cuáles viven en los árboles? ¿Cuál es el animal favorito de usted? ¿Cuál es el animal favorito de su hijo(a)?
- Imite el sonido de un animal del zoológico y deje que su hijo(a) adivine de qué se trata.
- Converse con su hijo(a) acerca de las precauciones que debe de tener con los animales. Explique a su hijo(a) que no debe tocar animales que no conozca. También es importante que le recuerde que únicamente los dueños alimentan a sus animales.
- Canten y hagan movimientos con las manos para representar la siguiente canción "Tres monitos". ¡Canten con entusiasmo y diviértanse!

Tres monitos sentados en el árbol.
(Levántese tres dedos y hágaselos rebotar.)
Al caimán estaban molestando:
—¡No me puedes atrapar! ¡No me puedes atrapar!
(Señale "no" con el dedo índice.)
El caimán se acercó muy despacito
y un mordisco dio muy tranquilito.
(Hágase caminar los dedos desde la mano hasta el hombro.)
Dos monitos sentados en el árbol.
(Levántese dos dedos y hágaselos rebotar. Siga contando hasta que no se queda ningún monito.)

De visita en la biblioteca

Oli, el pequeño elefante por Burny Bos

El elefante por José García Sanchez

Soy un oso grande y hermoso por Janosch

Ayudando

La próxima semana estudiaremos los animales de granja. Hablaremos acerca de los productos que provienen de los animales de granja, tales como leche, huevos y queso. Si usted tiene en su casa cartones de leche vacíos, empaques de huevo y recipientes de plástico de mantequilla, por favor, envíelos a la escuela. Los usaremos para hacer algunas actividades en la clase y también en nuestro Centro de dramatización y aprendizaje.

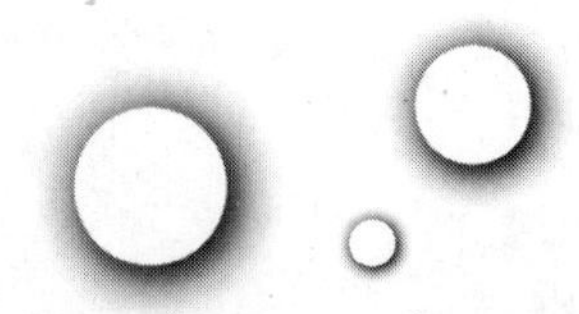

Dear Family,

The Theme for This Week: Farm Animals

This week the children learn about not only animals encountered on a farm, but also about life on a farm. The study of animals helps children continue to develop an awareness of how to treat and care for animals properly.

Learning Together

- If you live close to a farm, take your child on a tour of the farm. Ask him or her how farm animals are different from zoo animals.
- Allow your child to help you prepare dinner or another meal. Point out food items you are using that come from farms.
- Point out farm products to your child in the grocery store. Watch for produce and dairy trucks on the highway, and call your child's attention to the truck and what it is carrying. Explain that trucks help transport the products from the farm to the store.
- Sing "Old MacDonald" with your child. Let your child name the animals you sing about.

Old MacDonald had a farm,
E-I-E-I-O.
And on this farm she had a cow,
E-I-E-I-O.
With a moo, moo here,
And a moo, moo there,
Here a moo, there a moo,
Everywhere a moo, moo.
Old MacDonald had a farm.
E-I-E-I-O!

(Other verses:)
pig—oink, oink
cat—meow, meow
dog—bow-wow
horse—neigh, neigh

Visiting the Library

Quack and Honk by Allan Fowler

The Shepherd Boy by Kristine L. Franklin

What a Wonderful Day to Be a Cow by Carolyn Lesser

The Cow That Went Oink/La vaca que decía oink by Bernard Most

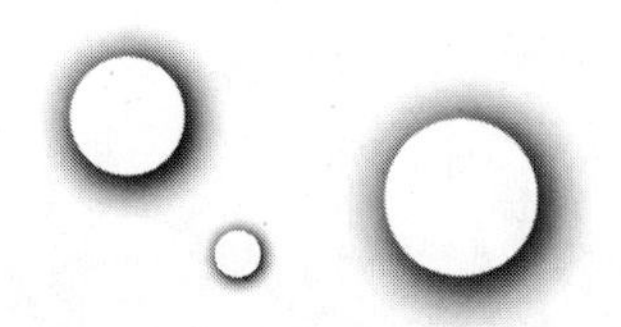

Estimada familia:

Tema de la semana: Los animales de granja

Esta semana los niños no solamente aprenderán acerca de los animales que viven en granjas, sino también acerca de la vida en las granjas. El estudio de animales ayudará a los niños a que continúen desarrollando su conocimiento en cuanto al trato y cuidado apropiado de los animales.

Aprendiendo juntos

- Si usted vive cerca de una granja lleve a su hijo(a) a dar un paseo. Pregúntele las diferencias que existen entre los animales de granja y los del zoológico.
- Permita que su hijo(a) le ayude a preparar la cena o cualquier otra comida y señalen los productos que provienen de una granja.
- Señale los productos de granja que vea en la tienda. Busque en las autopistas las camionetas que transportan productos agrícolas y lácteos y apúntelas para que su hijo(a) las vea y diga qué llevan. Explíquele que las camionetas ayudan a transportar productos de la granja a la tienda.
- Cante con su hijo(a) "El viejo MacDonald". Deje que su hijo(a) le dé nombre a los animales que usted menciona en la canción.

El viejo MacDonald tenía una granja,
I-A-I-A-U.
Y en su granja tenía una vaca,
I-A-I-A-U.
Con un mu, mu aquí,
y un mu, mu, allá,
un mu aquí, un mu allá,
dondequiera un mu.
El viejo MacDonald tenía una granja,
I-A-I-A-U.

(Versos adicionales:)
cerdo—oink, oink
gato—miau, miau
perro—guau, guau
caballo—jiii, jiii

De visita en la biblioteca

El niño pastor por Kristine L. Franklin

El chivo en la huerta por Lada J. Kratky

La vaca que decía oink/The Cow That Went Oink por Bernard Most

Instructions

1. Allow your child to color or decorate the list of activities.
2. Cut out the list along the dotted line.
3. If you wish to reinforce the paper list, help your child glue the cutout to a piece of cardboard.
4. Allow the glued list to dry for several minutes, and then help your child cut the cardboard into the shape of the list.
5. Attach the list to the refrigerator by using magnets or by attaching a strip of magnetic tape to the back of the list.
6. Use the list as a reminder to do these fun activities with your child throughout the month!

cut

May

- Show your child a calendar page for May. Point out any special dates for your family, such as birthdays, celebrations, and holidays. Explain that Mother's Day is always celebrated on the second Sunday in May. Give your child materials, such as paper, crayons, and markers, so that he or she can make a Mother's Day card.
- Lie on your back outdoors and watch the clouds sail by. What shapes do you see?
- Plant some flower seeds with your child.
- Tell your child three things you love about him or her. Ask him or her to tell you three things he or she loves about you.
- Do silly things with your child. Put a pair of shoes on the wrong feet or two different shoes on your feet or on his or her feet. Wear some mismatched clothing, and ask your child what is wrong with your outfit.

cut

Instrucciones

1. Permita que su hijo(a) decore o colore la lista de actividades.
2. Sigan la línea de puntos y recorten la lista.
3. Si ustedes desean, pueden reforzar la lista de papel con cartoncillo. Ayude a su hijo(a) a que la pegue en un pedazo de cartoncillo para reforzarla.
4. Deje que el cartoncillo se seque por unos minutos, y después ayude a su hijo(a) para que recorte la lista.
5. Peguen la lista de actividades en su refrigerador o nevera. Utilicen imanes o tiras de cinta magnética al reverso del cartoncillo para pegarlo al refrigerador.
6. ¡Utilice la lista como recordatorio para hacer estas actividades divertidas con su hijo(a) durante el transcurso del mes!

cut

Mayo

- Muestre a su hijo(a) el calendario en la página del mes de mayo. Señale las fechas especiales para su familia tales como cumpleaños, celebraciones y días festivos. Explíquele que el Día de las Madres siempre se celebra el segundo domingo del mes de mayo. Déle materiales tales como papel, crayones y marcadores para que haga una tarjeta alusiva al Día de las Madres.
- Acuéstense sobre sus espaldas al aire libre y vean las nubes que pasan por el cielo. ¿Qué figuras ven?
- Siembren algunas semillas de plantas que den flores.
- Dígale tres cosas por las que usted le quiere mucho. Después pregúntele cuáles son las tres cosas por las que él(ella) le quiere a usted.
- Hagan cosas simples o disparatadas como por ejemplo: poner los zapatos en el pie equivocado o dos zapatos diferentes en sus pies, o en el de su hijo(a). Póngase ropa desigual y pregunte a su hijo(a) qué es lo que está mal con su traje.

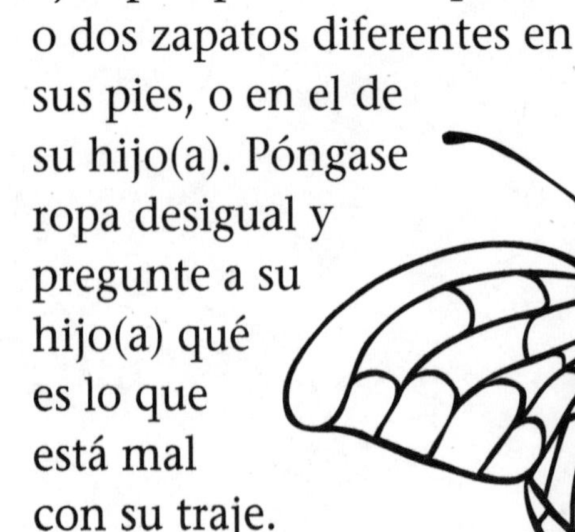

Dear Family,

The Theme for This Week: Ocean Life

The children have progressed in their study of animals from the zoo to the farm, and now to the ocean as they discover animals that make their homes in bodies of water. This week, we discuss the world's oceans and what can be found in them. Some of the creatures we focus on include starfish, sea horses, dolphins, whales, and octopuses.

Learning Together

- Take your child to the beach for the day. Point out the things that are specific to ocean life—the sand, the shells, the water, and the water animals. If you cannot take a trip to the beach or to the ocean, go to a pet store and look at and discuss the fish in the aquariums.
- Place plastic fish and boats in your child's bath for dramatic play. If you do not have fish and boats, you can cut them out of clean foam trays.
- Play a game of Keep-Away with your child using a beach ball.
- Read the poem "Fish" to your child. Talk about all the wonderful descriptive words used to depict the way fish move. How many ways can your child imitate?

Look at them flit, lickety-split
Wiggling, swiggling
Swerving, curving
Hurrying, scurrying
Chasing, racing
Whizzing, whisking
Flying, frisking
Tearing around with a leap and a bound
But none of them making the tiniest
Tiniest . . . tiniest . . . tiniest . . . sound.

Visiting the Library

Coral Reef by Norman S. Barrett

Oceans by Seymour Simon

Rainbow Fish by Marcus Pfister

Going on a Whale Watch by Bruce McMillan

Helping Out

We will build a cardboard town next week. Your child will need a shoebox for this project. Please send a shoebox to school on Monday.

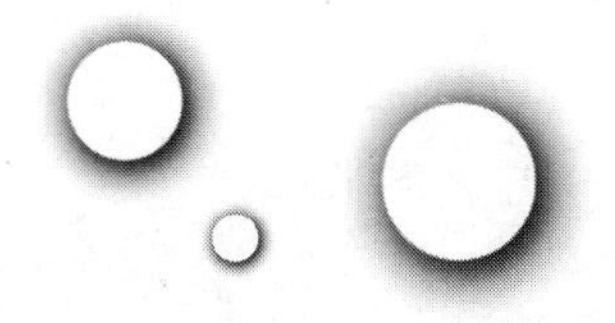

Estimada familia:

Tema de la semana: La vida en el océano

Los niños han avanzado en el estudio de los animales, desde los animales en el zoológico hasta los de granja. Ahora estudiaremos a los animales que hacen del mar su hogar. Esta semana, hablaremos de los océanos del mundo y lo que podemos encontrar en ellos. Nos enfocaremos en algunas criaturas como estrellas de mar, caballitos marinos, delfines, ballenas y pulpos.

Aprendiendo juntos

- Lleve su hijo(a) a la playa por un día. Señale las cosas que están específicamente relacionadas a la vida del océano: arena, conchas, el mar y los animales del mar. Si ustedes no pueden ir a la playa o al océano, vayan a un acuario y comenten acerca de los peces.
- Pongan peces y barcos de plástico en la tina del baño para dramatizar un juego. Si usted no tiene nada de lo mencionado anteriormente, usted puede hacerlos con esponjas limpias.
- Juegue con su hijo(a) un juego utilizando una pelota de playa.
- Recite el poema "Pececitos" a su hijo(a). Háblele acerca de todas las maravillosas palabras descriptivas que se emplean para representar cómo se mueve el pez. ¿Cuántas formas puede imitar su hijo(a)?

Mira cómo se revolotean rápidamente
meneándose, tragando,
virando, encorvándose,
apurándose, escurriéndose,
persiguiendo, corriendo,
zumbando, batiéndose,
volando, zarandeando,
rápidamente con un salto y un brinco.
Pero ninguno de ellos
hace el menor, menor ruido.

De visita en la biblioteca

Nadarín por Leo Lionni

Turquesita por Silvia Dubovoy

Angelita, la ballena pequeñita por Lolo Rico

El canto de las ballenas por Dyan Sheldon

Ayudando

La próxima semana construiremos una ciudad con papel cartulina. Su hijo(a) necesitará una caja de zapatos vacía para este proyecto. Por favor, envíe la caja el lunes.

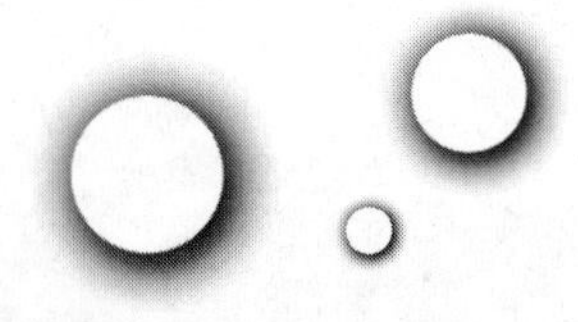

Dear Family,

The Theme for This Week: Big Things

Expanding the concept of *opposites* that we studied earlier in the year, the lessons this week encourage the children to think about and examine objects, using size as the determining attribute. The lessons help the children develop their critical thinking skills by leading them to realize that sometimes knowing what something *is not* allows us to better understand what something *is*.

Learning Together

- Take a drive to a city to look at skyscrapers. Talk with your child about the size of the buildings. Count the floors.
- Look through magazines for pictures of things that are large.
- Point out situations that occur during the week in which your child is large in comparison to something else. For example, he or she is large from the perspective of a baby or from the perspective of a cat or a dog.
- Sing "Five Little Fishes Swimming in the Sea" with your child.

No little fishes swimming in the sea,
Splishing and a-splashing and
rocking to the beat.
Everybody wave 'cause don't you know,
Here comes a fish and away we go.

One little fish swimming in the sea,
Splishing and a-splashing and
rocking to the beat.
Here comes another fish—uh, say hello.
Two little fishes swimming in a row.

Two little fishes swimming in the sea,
Splishing and a-splashing and
rocking to the beat.
Here comes another fish—uh, say hello.
Three little fishes swimming in a row.

Three little fishes . . .
Four little fishes . . .
Five little fishes swimming in the sea.
Everybody wave 'cause don't you know;
Five little fishes have got to go.
Ou-ahh, away they go. Yeah!

Visiting the Library

Willy and Hugh by Anthony Hugh

The Biggest Animal Ever by Allan Fowler

Amos and Boris by William Steig

Jack and the Beanstalk by Cooper Eden

Helping Out

We are collecting old summer clothing and beach items for next week's lessons. Please send any old clothing, sun hats, sunglasses, and clean, empty sunscreen containers to school by Monday.

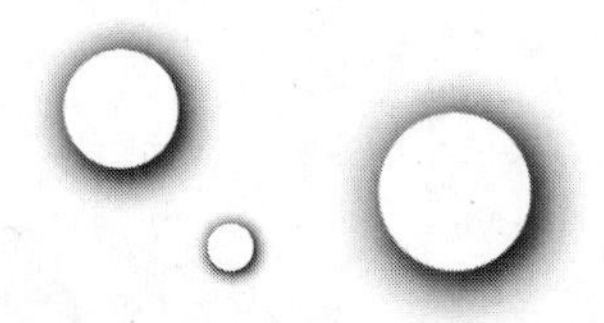

Estimada familia:

Tema de la semana: Cosas grandes

Ampliando el concepto de *opuestos* que estudiamos previamente, las lecciones de esta semana le ayudarán a su hijo(a) a que piense y examine objetos, utilizando el tamaño como principal atributo. Las lecciones les ayudarán a los niños a desarrollar sus habilidades de pensamiento crítico al guiarlos a darse cuenta que algunas veces saber lo que algo *no es* nos permite comprender mejor lo que sí *es*.

Aprendiendo juntos

- Vayan a pasear en coche en la ciudad y vean los rascacielos. Hable con su hijo(a) acerca del tamaño de los edificios. Cuenten los pisos del edificio.
- Busque en revistas fotografías de objetos grandes.
- Compare a su hijo con cosas o situaciones que hayan ocurrido durante la semana en que él o ella sea más grande comparado con algo más. Por ejemplo, ella o él es más grande tomando en cuenta la perspectiva de un bebé o de un gato o perro.
- Cante con su hijo(a) "Cinco pececitos nadando en el mar".

Ningún pececito nadando en el mar
salpicando, chapoteando y bailando al compás.
Todos saludan ¿no sabes por qué?,
porque aquí viene un pececito y
ahí vamos otra vez.

Un pececito nadando en el mar
salpicando, chapoteando y bailando al compás.
Otro pez saluda y con él se va,
dos pececitos en una hilera van.

Dos pececitos nadando en el mar
salpicando, chapoteando y bailando al compás.
Otro pez saluda y con él se va,
tres pececitos en una hilera van.

Tres pececitos . . .
Cuatro pececitos . . .
Cinco pececitos nadando en el mar.
Todos saludan ¿no sabes por qué?
Cinco pececitos se tienen que ir,
¡ay! ¡ay! y ya se van por ahí.

De visita en la biblioteca

Enanos y gigantes por Max Bollinger

La giganta y el chiquitín por Dip Ayala

El animal más grande del mundo por Allan Fowler

Las semillas mágicas por Joseph Jacobs

Ayudando

Estamos juntando ropa usada de verano y objetos para la playa para la lección de la próxima semana. Por favor, envíe ropa vieja, sombreros para el sol, gafas de sol y tubos o recipientes de crema para el sol vacíos el lunes.

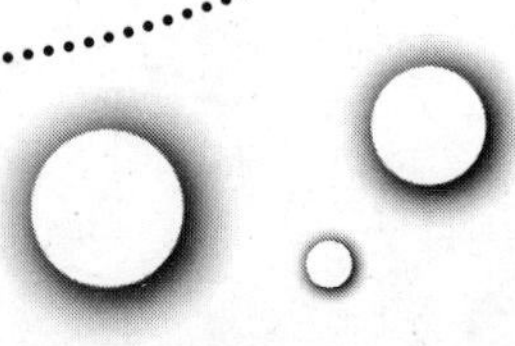

Dear Family,

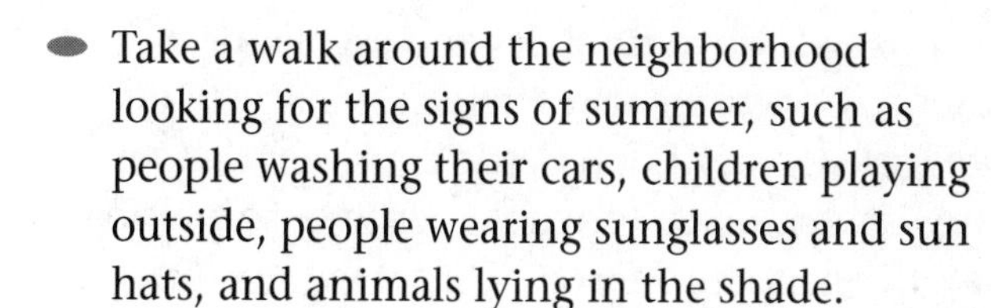

The Theme for This Week: Summer Fun

We have come to the end of your child's first year in school. As you reflect on your child's progress since his or her first day of school, you are probably amazed at his or her growth: physically, mentally, and emotionally. Your child is no longer a preschooler; instead, he or she is well on the way to kindergarten. Because of your involvement, help, and nurturing, your child is ready to move on. Thank you and congratulations on a job well done.

As the school year draws to a close, what better theme is there to conclude with than Summertime Fun? This week, we review the children's school year experiences. Lessons discuss typical summer activities, clothing, and weather.

Learning Together

- Make a plan for the things that you will be doing this summer. Will you go to the library? To the beach? On vacation? Let your child make suggestions for summer activities.
- Take a walk around the neighborhood looking for the signs of summer, such as people washing their cars, children playing outside, people wearing sunglasses and sun hats, and animals lying in the shade.
- Play outside in the sprinkler with your child.
- Say the "Ice Cream Chant" with your child. Why is ice cream especially good in the summertime? Make a freezer of homemade ice cream or take a trip to the local ice cream parlor.

I scream, you scream,
We all scream for ice cream!
Ice cream in a cup, ice cream on a cone.
Ice cream with syrup, ice cream all alone.

Visiting the Library

Summer by Ron Hirschi

Time of Wonder by Robert McCloskey

Earth Circles by Sandra Griffin

On My Beach There Are Many Pebbles by Leo Lionni

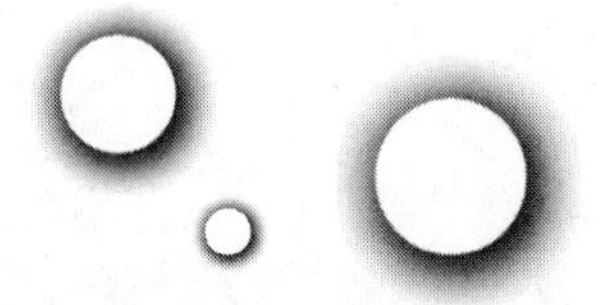

Estimada familia:

Tema de la semana: Verano divertido

Hemos llegado al final del año escolar de su hijo(a). Conforme usted reflexiona acerca del progreso de su hijo(a) desde el primer día del año escolar, usted probablemente se sorprenderá de su crecimiento físico, mental y emocional. Su hijo(a) ya no es un preescolar. Ahora, está lista(o) para el kindergarten. Gracias a su participación, ayuda y crianza, su hijo(a) está listo(a) para seguir adelante. Muchas gracias y felicidades por su buen trabajo y participación.

Conforme el año llega a su fin, ¿qué mejor que incluir el tema de Verano divertido? Esta semana repasaremos las experiencias de los niños durante el año escolar. Las lecciones incluirán las actividades típicas del verano, vestido y clima.

Aprendiendo juntos

- Hagan planes para las cosas que harán este verano. ¿Irán a la biblioteca? ¿A la playa? ¿De vacaciones? Deje que su hijo(a) sugiera actividades para hacer este verano.
- Vayan a caminar a los alrededores de su vecindario y busquen señales del verano, tales como personas lavando sus coches, niños jugando afuera, personas con sus gafas de sol y sombreros y animales descasando en la sombra de los árboles y arbustos.
- Juegue con su hijo(a) con la manguera del jardín.
- Repita "La canción del helado" con su hijo(a). ¿Por qué el helado es especialmente bueno en la época del verano? Haga helado en casa o vaya a una nevería local.

Yo lo pido, tú lo pides,
el helado todos piden.
En vasito o en barquilla, todos piden el helado.
Con jarabe o con crema, todos comen
mantecado.

De visita en la biblioteca

La mariposa por David Cutts

La oruga muy hambrienta por Eric Carle

Barcos, barcos, barcos por Joanna Ruane

Del imbligo de la luna y otros poemas de verano por Francisco X. Alarcon

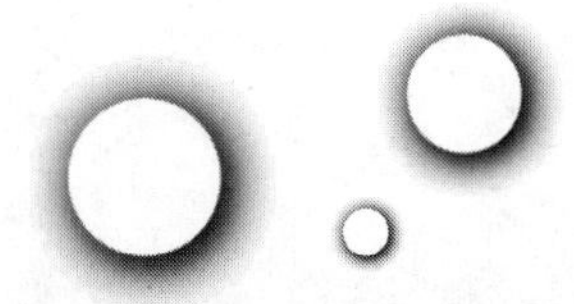

Instructions

1. Allow your child to color or decorate the list of activities.
2. Cut out the list along the dotted line.
3. If you wish to reinforce the paper list, help your child glue the cutout to a piece of cardboard.
4. Allow the glued list to dry for several minutes, and then help your child cut the cardboard into the shape of the list.
5. Attach the list to the refrigerator by using magnets or by attaching a strip of magnetic tape to the back of the list.
6. Use the list as a reminder to do these fun activities with your child throughout the month!

cut

June

- Show your child a calendar page for June. Point out important dates, such as birthdays, celebrations, trips, and holidays. Explain that Father's Day is always celebrated on the second Sunday in June. Give your child materials, such as paper, crayons, and markers, so he or she can make a Father's Day card.
- Roll a pair of old socks into a ball. Give your child a pail, and encourage him or her to toss the socks into the pail.
- Take your shoes off. Have a contest to see who can pick up the greatest number of small objects within a set amount of time using only their toes. Use items such as spools, cotton balls, and blocks.
- Go outside on a sunny day, and play Shadow Tag by trying to step on each other's shadow.
- Remind your child to drink plenty of water. Explain that water is good for your body and your brain. Thirsty brains cannot think!

cut

Instrucciones

1. Permita que su hijo(a) decore o colore la lista de actividades.
2. Sigan la línea de puntos y recorten la lista.
3. Si ustedes desean, pueden reforzar la lista de papel con cartoncillo. Ayude a su hijo(a) a que la pegue en un pedazo de cartoncillo para reforzarla.
4. Deje que el cartoncillo se seque por unos minutos, y después ayude a su hijo(a) para que recorte la lista.
5. Peguen la lista de actividades en su refrigerador o nevera. Utilicen imanes o tiras de cinta magnética al reverso del cartoncillo para pegarlo al refrigerador.
6. ¡Utilice la lista como recordatorio para hacer estas actividades divertidas con su hijo(a) durante el transcurso del mes!

cut

Junio

- Muestre a su hijo(a) el calendario en la página del mes de junio. Señale las fechas especiales para su familia tales como cumpleaños, celebraciones y días festivos. Dígale que el Día del Padre siempre se celebra el segundo domingo del mes de Junio. Déle materiales como papel, crayones y marcadores para que haga una tarjeta alusiva al Día del Padre.
- Hagan una bolita con un par de calcetines. Déle una cubeta para que él(ella) lance la bola del calcetín a la cubeta.
- Quítense los zapatos y hagan un concurso para ver quién levanta la mayor cantidad de objetos pequeños en determinado tiempo utilizando los dedos de los pies. Empleen objetos como cucharas, bolitas de algodón y bloques de construcción.
- Vayan fuera de la casa en un día soleado y jueguen al "Shadow Tag" (a atrapar sus sombras). Intenten pisar la sombra de cada uno de ustedes.
- Recuérdele que tiene que beber suficiente agua. Explíquele que el agua es buena para su cuerpo y su cerebro. ¡Cerebros que tienen sed no pueden pensar!

Instructions

1. Allow your child to color or decorate the list of activities.
2. Cut out the list along the dotted line.
3. If you wish to reinforce the paper list, help your child glue the cutout to a piece of cardboard.
4. Allow the glued list to dry for several minutes, and then help your child cut the cardboard into the shape of the list.
5. Attach the list to the refrigerator by using magnets or by attaching a strip of magnetic tape to the back of the list.
6. Use the list as a reminder to do these fun activities with your child throughout the month!

cut

July

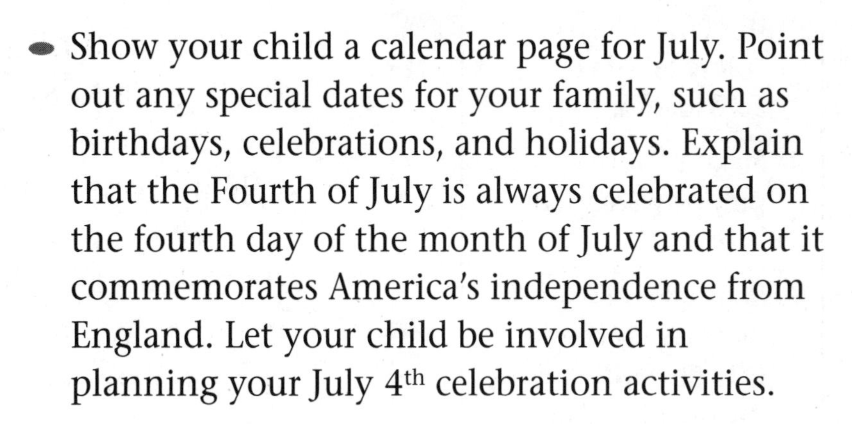

- Show your child a calendar page for July. Point out any special dates for your family, such as birthdays, celebrations, and holidays. Explain that the Fourth of July is always celebrated on the fourth day of the month of July and that it commemorates America's independence from England. Let your child be involved in planning your July 4th celebration activities.
- Make Bubble Soap by mixing 1 teaspoon of glycerin, $\frac{1}{2}$ cup of liquid detergent, and $\frac{1}{2}$ cup of water. Let it stand overnight. Give the mixture to your child, and encourage him or her to blow bubbles using a plastic holder for soft drinks as a wand.
- Go on a family picnic. Let your child help you pack the picnic lunch. Have him or her count the correct number of each item added to the basket.
- Discuss living and nonliving things. Name something for your child, and let him or her tell you if it is living or nonliving.

cut

Instrucciones

1. Permita que su hijo(a) decore o colore la lista de actividades.
2. Sigan la línea de puntos y recorten la lista.
3. Si ustedes desean, pueden reforzar la lista de papel con cartoncillo. Ayude a su hijo(a) a que la pegue en un pedazo de cartoncillo para reforzarla.
4. Deje que el cartoncillo se seque por unos minutos, y después ayude a su hijo(a) para que recorte la lista.
5. Peguen la lista de actividades en su refrigerador o nevera. Utilicen imanes o tiras de cinta magnética al reverso del cartoncillo para pegarlo al refrigerador.
6. ¡Utilice la lista como recordatorio para hacer estas actividades divertidas con su hijo(a) durante el transcurso del mes!

cut

Julio

- Muestre a su hijo(a) el calendario en la página del mes de julio. Señale las fechas especiales para su familia tales como cumpleaños, celebraciones y días festivos. Explíquele que el cuatro de julio es el Día de la Independencia de los Estados Unidos y se celebra el cuarto día del mes de julio para conmemorar su independencia de Inglaterra. Deje que su hijo(a) participe en los preparativos para la celebración del 4 de julio.
- Hagan burbujas de jabón mezclando 1 cucharadita de glicerina, $\frac{1}{2}$ taza de detergente líquido y $\frac{1}{2}$ taza de agua. Déjelas reposar toda la noche. Déle la mezcla a su hijo(a) y utilicen la agarradera de plástico de las bebidas suaves como la varita para que le sople y haga las burbujas.
- Vayan a un día de campo en familia. Permita que su hijo(a) le ayude a empacar el almuerzo para el día de campo. Dígale que cuente cada uno de los objetos que pondrán en la canasta.
- Conversen acerca de los seres vivos y no vivos. Dígale el nombre de algo y pregúntele si es un ser vivo o no.

cut

cut

Instructions

1. Allow your child to color or decorate the list of activities.
2. Cut out the list along the dotted line.
3. If you wish to reinforce the paper list, help your child glue the cutout to a piece of cardboard.
4. Allow the glued list to dry for several minutes, and then help your child cut the cardboard into the shape of the list.
5. Attach the list to the refrigerator by using magnets or by attaching a strip of magnetic tape to the back of the list.
6. Use the list as a reminder to do these fun activities with your child throughout the month!

cut

August

- Show your child a calendar page for August. Point out any special dates for your family, such as birthdays, celebrations, and holidays. Count the days remaining until the first day of school.
- Clap your hands in a rhythmic pattern, and ask your child to copy your pattern.
- Talk with your child as he or she dresses. What does he or she do first? Next? Last?
- Make a list of things you need to accomplish. Let your child check the items off as they are accomplished.
- Help your child learn his or her full name, address, and telephone number.

cut

Instrucciones

1. Permita que su hijo(a) decore o colore la lista de actividades.
2. Sigan la línea de puntos y recorten la lista.
3. Si ustedes desean, pueden reforzar la lista de papel con cartoncillo. Ayude a su hijo(a) a que la pegue en un pedazo de cartoncillo para reforzarla.
4. Deje que el cartoncillo se seque por unos minutos, y después ayude a su hijo(a) para que recorte la lista.
5. Peguen la lista de actividades en su refrigerador o nevera. Utilicen imanes o tiras de cinta magnética al reverso del cartoncillo para pegarlo al refrigerador.
6. ¡Utilice la lista como recordatorio para hacer estas actividades divertidas con su hijo(a) durante el transcurso del mes!

cut

Agosto

- Muestre a su hijo(a) el calendario en la página del mes de agosto. Señalen las fechas especiales para su familia tales como cumpleaños, celebraciones y días festivos. Cuenten los días que faltan para el primer día de escuela.
- Aplauda y haga patrones rítmicos con las palmas de sus manos. Después pídale a su hijo(a) que copie el ritmo.
- Converse con su hijo(a) conforme él(ella) se cambia de ropa. ¿Qué es lo que él(ella) hace primero? ¿después? ¿y al último?
- Haga una lista de cosas que usted necesita llevar a cabo. Deje que su hijo(a) elimine las cosas conforme usted las vaya terminando.

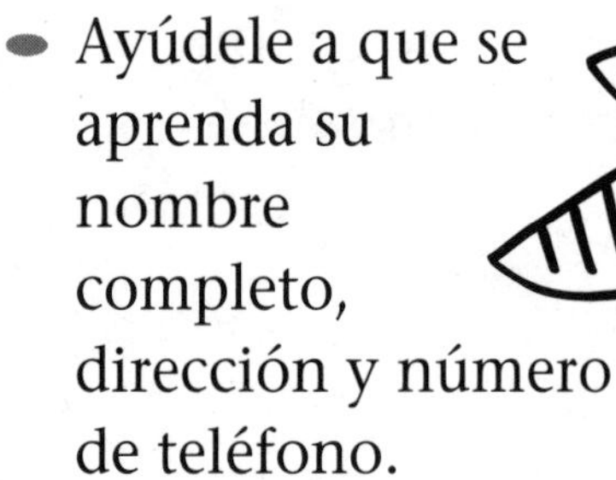

- Ayúdele a que se aprenda su nombre completo, dirección y número de teléfono.

Takehome Storybooks

The Takehome Storybooks are "easy readers" that the children can color, assemble, and take home. All 18 Storybooks support a theme in ***The DLM Early Childhood Express.*** The stories use predictable text so that children can "read" their books to families and friends.

A brief letter—in English and Spanish—appears on p. 106. The following chart provides the text for all 18 Storybooks and suggests uses for the Storybooks—beyond theme support. Each Takehome Storybook is also provided in Spanish.

Theme and Title	Text	Suggestions for Use at Home and School
Theme 1: School Days *My School*	I like school. I like my friends. I like my teacher. I like the toys. Do you like school?	1. Send out prior to the start of school, and encourage families to assemble with and read to their children. 2. Later, this text can be used to help children recognize *I* and *like.*
Theme 2: Physical Me *Look What I Can Do!*	I can stick out my tongue. I can wink. I can touch my nose. I can hug myself. What can you do?	1. Later, this text can be used to help children recognize *I* and *can.* 2. Use also with the Sound and Movement theme.
Theme 3: Thinking and Feeling Me *Sometimes*	Sometimes I'm happy. Sometimes I'm sad. Sometimes I'm mad. Sometimes I'm frightened. Draw a picture of how you feel today.	1. Give to a child who is having a particularly unhappy or an especially happy day at school. 2. Later, this text can be used to help children recognize *happy, sad,* and *mad.*
Theme 4: My Family *My Family*	This is my dad. This is my mom. This is my brother. This is my sister. This is me!	1. Later in the school year, this text can be used to help children recognize family members' names and the sight words *this* and *is.* 2. Use also with the Physical Me theme.
Theme 7: Pets *What Pet Would You Like to Have?*	A frog? A turtle? A cat? A dog? Draw the pet you would like to have.	Use to reinforce recognition and use of the question mark.
Theme 8: Opposites *My Book of Opposites*	Which is up and which is down? Which is fast and which is slow? Which is big and which is small? Which is in and which is out? Which is happy and which is sad?	Use to reinforce recognition and use of the question mark.

Takehome Storybooks

Theme and Title	Text	Suggestions for Use at Home and School
Themes 9 and 10: Color, Shape, and Size *Silly Snake Shapes*	Silly Snake can make a circle. Silly Snake can make a square. Silly Snake can make a triangle. Silly Snake can make a rectangle. Silly Snake's favorite shape is an oval.	1. Use to reinforce alliteration in the English version. 2. Use to teach and reinforce shape recognition.
Theme 13: Growing Things *Little Red Hen*	Little Red Hen planted some seeds. She grew some wheat. She ground the wheat to flour. She baked some bread. She ate her bread.	1. Use to reinforce the concept of sequence of events within a story. 2. Use also with the Traditional Tales, Friends, and Food and Nutrition themes.
Theme 16: Sound and Movement *The Tortoise and the Hare*	Tortoise says, "I can run fast." Hare says, "I can run faster." Fox says, "I will time you." Hare falls asleep. Tortoise wins.	1. Use to provide experience with dialogue. 2. Use also with the Opposites or Animals themes.
Themes 20 and 21: Traditional Tales *Do You Know Who I Am?*	Who are we? Who am I? Who are we? Who am I? Who are we? Who am I?	1. Use to reinforce recognition and use of the question mark. 2. Use also to introduce or reinforce the concept of main characters in a story.
Themes 20 and 21: Traditional Tales *Rhyming Name Pals*	This is Henny-Penny. This is Ducky-Lucky. This is Goosey-Loosey. This is Turkey-Lurkey. Can you guess this guy's name?	1. Use to reinforce rhyming words. 2. Use also with the Real and Make-Believe theme.
Theme 22: Cowgirls and Cowboys *Rodeo Fun*	Jake wears rodeo clothes. He rides the bulls. He ropes the steers. He sings cowboy songs. Jake is a rodeo cowboy.	Use to demonstrate action words.
Theme 23: Transportation *My Little Red Wagon*	I put a plant in my wagon. I put a big rock in my wagon. I put an old birdcage in my wagon. I put my puppy in my wagon. Now there is no room for me.	Use to reinforce the sight word *I*.

Theme and Title	Text	Suggestions for Use at Home and School
Theme 27: Weather *Sing Me a Rainbow*	Sing me a rainbow. Sing me the sun. Sing me the starlight. When day is done. Sing me a rainbow again and again.	Use to reinforce the sight word *me.*
Theme 28: Real and Make-Believe *Miguel the Fearless*	Wears a ten-gallon hat. Rides his bronco. Corrals outlaws. Fixes wagon wheels. Sleeps under the stars.	1. Use to demonstrate action words. 2. Use also with the Cowgirls and Cowboys theme.
Themes 29 and 30: Bugs *Dancing Ants*	Dancing ants spin. Dancing ants tippy-toe. Dancing ants jump. Dancing ants skate. Dancing ants wave good-bye.	Use to reinforce action words and descriptive words.
Theme 31: Animals *What's Inside the Circus Tent?*	Tricky tigers and prancing horses, dancing elephants and smart dogs, funny clowns and silly monkeys, musicians and dancers, and kids like you and me.	Use to reinforce descriptive words.
Theme 33: Farm Animals *Old MacDonald's Friends*	Old MacDonald has a cud-chewing cow. She has a pretty pink pig. She has a hippity-hoppity horse. She has a gorgeous giant gorilla. "Hey! What's a gorilla doing in this story?"	1. Use to reinforce alliteration for English version. 2. Use to reinforce classification.

How to Assemble the Takehome Storybooks

- Make a two-sided photocopy of the Takehome Storybook for each child—every child will have one sheet of paper, printed front and back.
- Cut the page in half along the dotted line.
- Place the half with pages 1 and 8 on top of the half with pages 6 and 3.
- Holding the two sheets together, fold the left side under the right, making sure page 1 (cover) is on top.
- Staple along the fold if you desire.

Dear Family,

Attached is a Takehome Storybook that your child has helped assemble this week. We have read the story in class, and your child has enhanced his or her own little book by coloring the illustrations.

The language in this book is simple and predictable, which means that your child will be able to "read" his or her book all by himself or herself after hearing it just a few times.

Encourage your child to "read" his or her book to you. Delight your child by reading it back to him or her. Your child's feeling of accomplishment in being able to "read" little books, such as this one, plays an important role in motivating him or her to want to learn the more challenging aspects of reading.

We know you will enjoy sharing in your child's reading journey. Keep this little book close at hand so your child can practice his or her reading as often as he or she would like. Perfect practice—which includes your support—makes perfect.

Sincerely,

____

Estimada familia:

Adjuntamos una copia del libro para llevar a casa que su hijo(a) ha ayudado a preparar esta semana. Hemos leído el cuento en clase y su hijo(a) mejoró su lectura al colorear sus ilustraciones.

El lenguaje de este libro es simple y predecible. Esto significa que su hijo(a) podrá "leer" todo su libro por si mismo después de escucharlo sólo unas pocas veces.

Le sugerimos que estimule a su hijo(a) a "leerle" su libro. Disfruten de la lectura una y otra vez. El sentimiento de logro de su hijo(a) por poder "leer" libritos como este representa un importante paso en su vida escolar. Esto lo motivará hacia el deseo de aprender todos los aspectos más desafiantes y sobresalientes de la lectura.

Sabemos que disfrutará compartir el viaje hacia la lectura de su hijo(a). Tenga este librito a mano a modo que su hijo(a) pueda leerlo tantas veces como quiera. La práctica perfecta, que incluye su apoyo, hará la perfección.

Sinceramente,

____

8

My School

1

cut cut

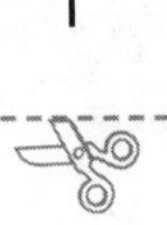

I like the toys.

I like school.

Do you like school?

cut cut

I like my friends.

I like my teacher.

Mi escuela

8

1

cut cut

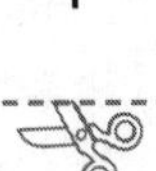

Me gustan los juguetes.

Me gusta la escuela.

¿Te gusta la escuela?

cut cut

Me gustan mis amigos.

Me gusta mi maestro(a).

Look What I Can Do!

cut -- cut

I can hug myself.

I can stick out my tongue.

What can you do?

2

7

cut cut

I can wink.

I can touch my nose.

4

5

¡Mira lo que yo puedo hacer!

cut ---- cut

Yo puedo abrazarme.

Yo puedo sacar mi lengua.

¿Qué puedes hacer tú?

cut cut

Yo puedo parpadear.

Yo puedo tocar mi nariz.

Sometimes

cut cut

Sometimes I'm frightened.

Sometimes I'm happy.

Draw a picture of
how you feel today.

2

7

cut

cut

Sometimes I'm sad.

Sometimes I'm mad.

Algunas veces

cut cut

Algunas veces yo
estoy asustado(a).

Algunas veces yo
estoy contento(a).

Haz un dibujo de cómo te sientes hoy.

2

7

cut

cut

Algunas veces yo estoy triste.

Algunas veces yo estoy enojado(a).

My Family

cut cut

This is my sister.

This is my dad.

This is me!

cut

cut

This is my mom.

This is my brother.

Mi familia

cut cut

Ésta es mi hermana.

Éste es mi papá.

¡Yo soy esta(e)!

cut cut

Ésta es mi mamá.

Éste es mi hermano.

What Pet Would You Like to Have?

cut -- cut

A dog?

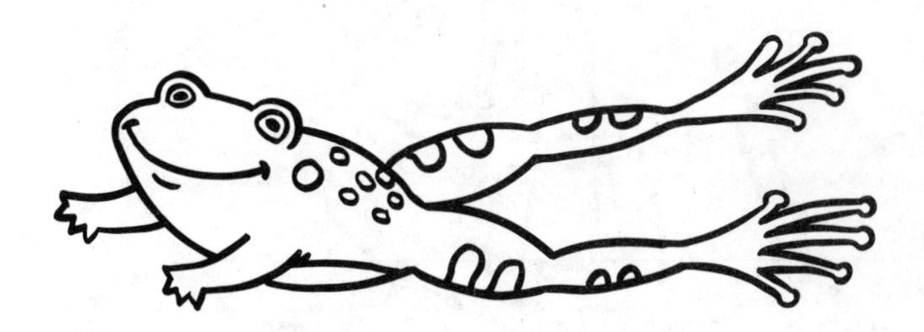

A frog?

Draw the pet you would like to have.

2

7

cut cut

A turtle?

A cat?

4

5

¿Qué mascota te gustaría tener?

8

1

cut cut

¿Un perro?

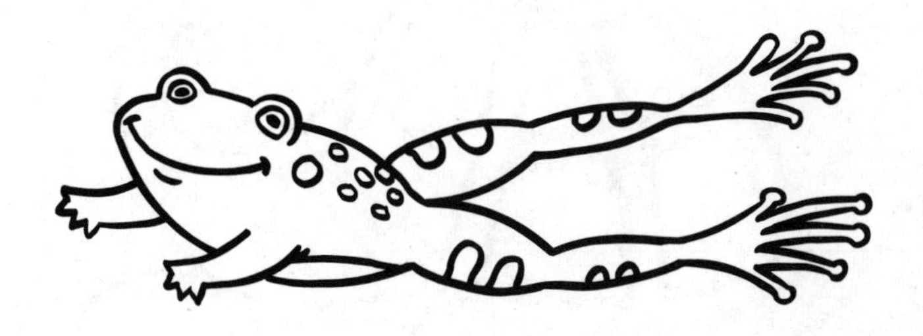

¿Una rana?

Dibuja la mascota que
te gustaría tener.

2

7

cut ---- cut

¿Una tortuga?

¿Un gato?

4

5

My Book of Opposites

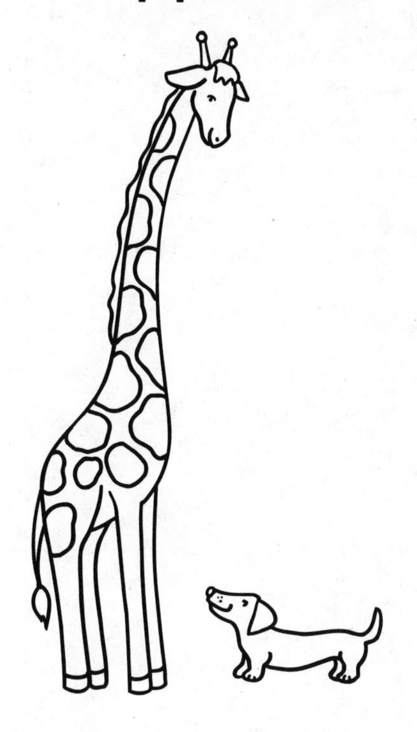

cut cut

Which is in and which is out?

Which is up and which is down?

Which is happy and
which is sad?

cut cut

Which is fast and which is slow?

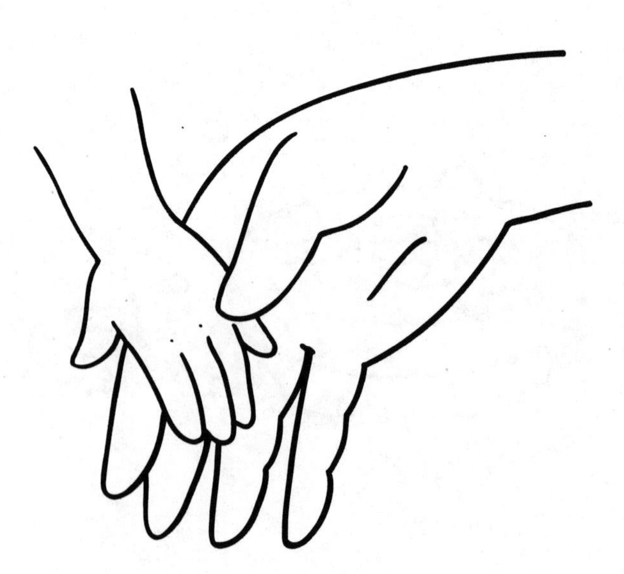

Which is big and which is small?

Mi libro de opuestos

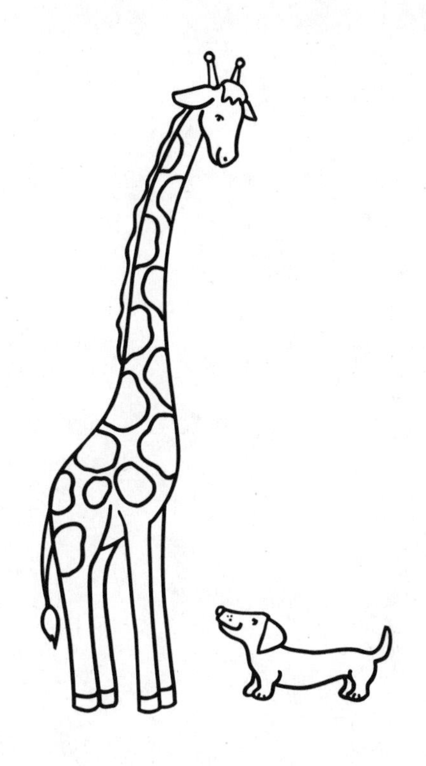

cut cut

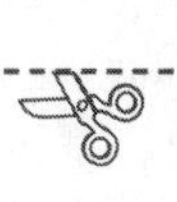

¿Cuál está adentro y
cuál está afuera?

¿Cuál está arriba y
cuál está abajo?

¿Cuál está contento
y cuál ésta triste?

cut cut

¿Cuál es rápido y cuál es lento?

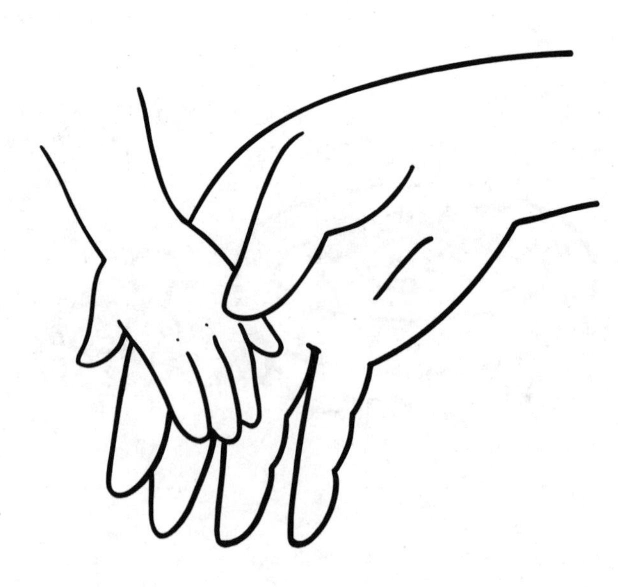

¿Cuál es grande y
cuál es pequeño?

Silly Snake Shapes

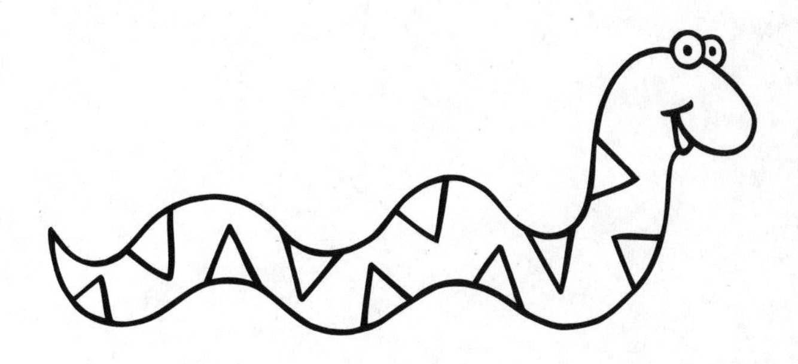

8

1

cut cut

Silly Snake can make
a rectangle.

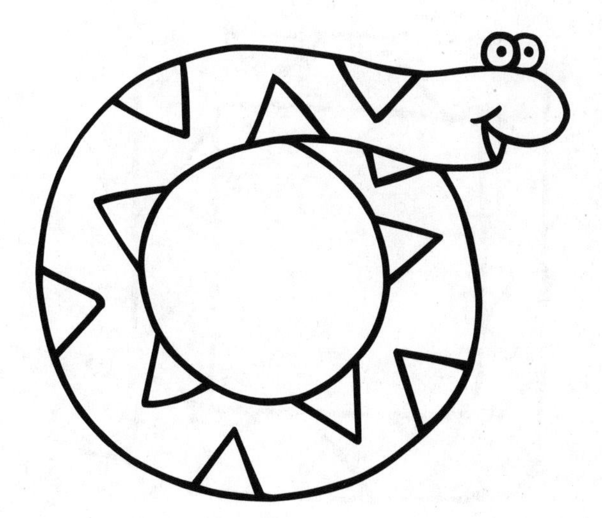

Silly Snake can make a circle.

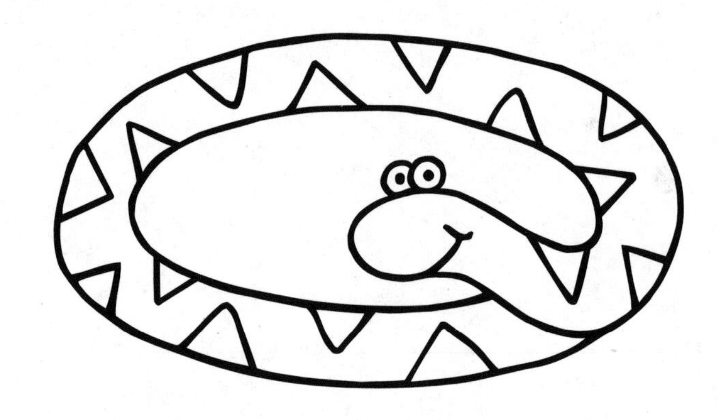

Silly Snake's favorite shape
is an oval.

cut -- cut

Silly Snake can make a square.

Silly Snake can make
a triangle.

La serpiente necia hace figuras

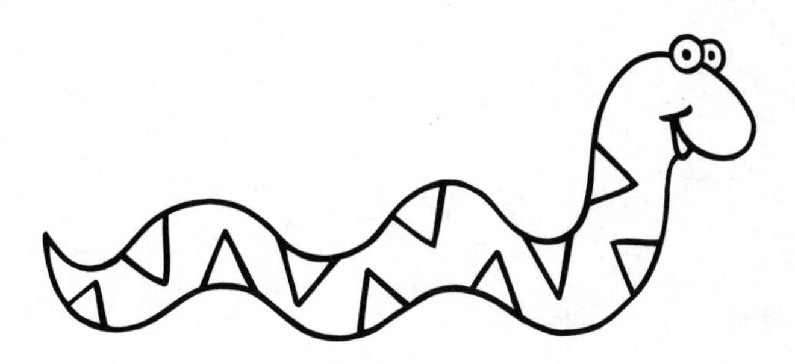

cut cut

La serpiente necia
hace un rectángulo.

La serpiente necia
hace un círculo.

La figura favorita de la
serpiente necia es un óvalo.

cut cut

La serpiente necia
hace un cuadrado.

La serpiente necia
hace un triángulo.

Little Red Hen

cut cut

She baked some bread.

Little Red Hen planted some seeds.

She ate her bread.

cut cut

She grew some wheat.

She ground the wheat to flour.

La gallinita roja

cut cut

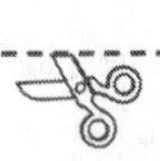

Ella horneó un poco de pan.

La gallinita roja sembró unas semillas.

Ella se comió su pan.

cut cut

Ella cosechó un poco de trigo.

Ella molió el trigo y lo hizo harina.

The Tortoise and the Hare

8

1

cut cut

Hare falls asleep.

Tortoise says, "I can run fast."

Tortoise wins.

2

7

cut cut

Hare says, "I can run faster."

Fox says, "I will time you."

La tortuga y la liebre

cut cut

La liebre se duerme.

La tortuga dice —Yo puedo correr rápido.

La tortuga gana.

2

7

cut cut

La liebre dice —Yo puedo correr más rápido.

El zorro dice —Yo les tomaré el tiempo.

Do You Know Who I Am?

Who am I?

cut cut

Who are we?

Who am I?

Who are we?

2

7

cut

cut

Who am I?

Who are we?

¿Sabes quién soy yo?

¿Quién soy yo?

8

1

cut

cut

¿Quién soy yo?

¿Quiénes somos nosotros?

6

3

¿Quiénes somos nosotros?

cut

cut

¿Quién soy yo?

¿Quiénes somos nosotros?

Rhyming Name Pals

cut cut

This is Turkey-Lurkey.

This is Henny-Penny.

Can you guess this guy's name?

cut cut

This is Ducky-Lucky.

This is Goosey-Loosey.

Rimando nombres de compañeros

8

1

cut cut

Éste es *Turkey-Lurkey.*

Ésta es *Henny-Penny.*

¿Puedes adivinar el nombre de este sujeto?

cut ---------- cut

Éste es *Ducky-Lucky*.

Éste es *Goosey-Loosey*.

Rodeo Fun

cut cut

He sings cowboy songs.

Jake wears rodeo clothes.

2

Jake is a rodeo cowboy.

7

cut cut

He rides the bulls.

4

He ropes the steers.

5

El rodeo de diversión

cut

cut

Él canta canciones
de vaqueros.

Jake lleva la ropa de rodeo.

Jake es un vaquero de rodeo.

cut

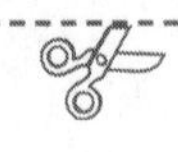

cut

Él jinetea los toros.

Él ata los novillos.

My Little Red Wagon

cut cut

I put my puppy in my wagon.

I put a plant in my wagon.

Now there is no room for me.

cut cut

I put a big rock in my wagon.

I put an old birdcage in my wagon.

Mi pequeño vagón rojo

cut ---- cut

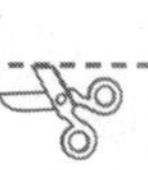

Puse a mi perrito en mi vagón.

Puse una planta en mi vagón.

Ahora ya no hay
ningún lugar para mí.

cut ------------------------------- cut

Puse una roca grande
en mi vagón.

Puse una jaula vieja
en mi vagón.

Sing Me a Rainbow

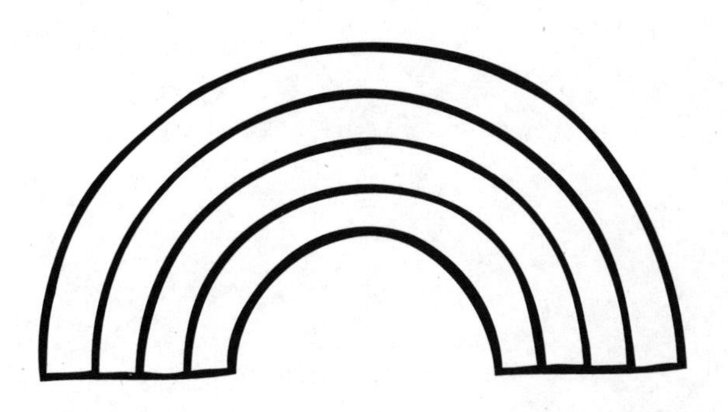

8

1

cut cut

When day is done.

Sing me a rainbow.

Sing me a rainbow
again and again.

cut cut

Sing me the sun.

Sing me the starlight.

Cánteme un arco iris

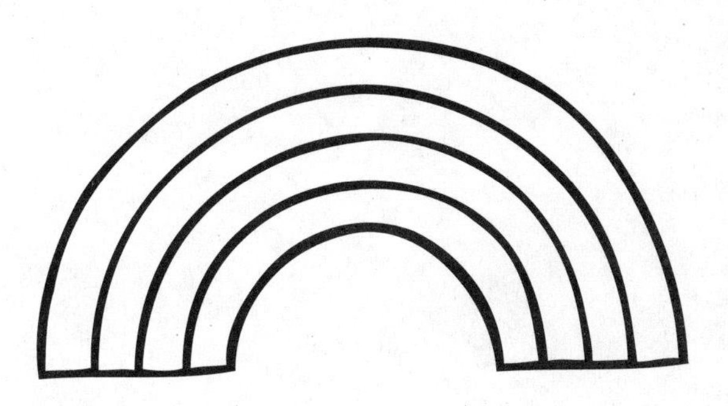

cut cut

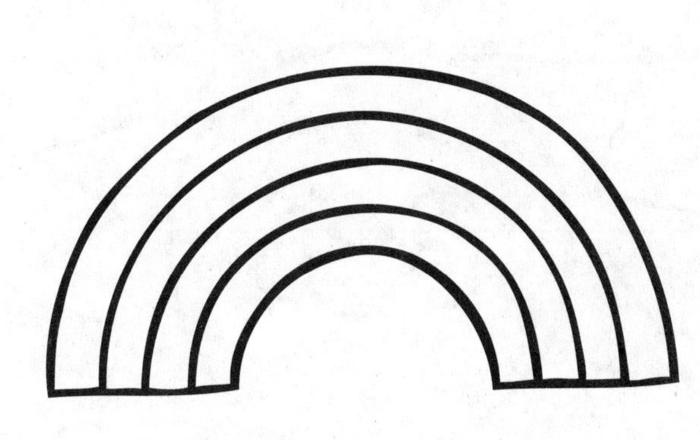

Cuando el día se termine.

Cánteme un arco iris.

Cánteme un arco iris
una y otra vez.

cut cut

Cánteme el sol.

Cánteme la luz de las estrellas.

Miguel the Fearless

8

1

cut cut

Fixes wagon wheels.

Wears a ten-gallon hat.

Sleeps under the stars.

cut cut

Rides his bronco.

Corrals outlaws.

Miguel el valiente

cut cut

Repara ruedas de vagones.

Lleva puesto un sombrero
de diez galones.

Duerme bajo las estrellas.

2

7

cut cut

Monta su caballo.

Acorrala rebeldes.

Dancing Ants

8

1

cut cut

Dancing ants skate.

Dancing ants spin.

Dancing ants
wave good-bye.

2

7

cut cut

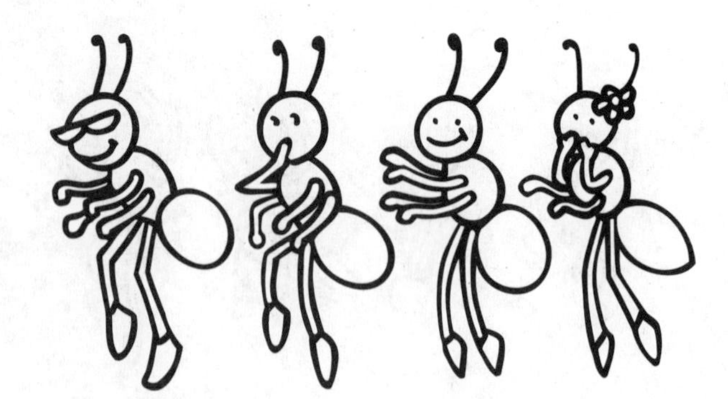

Dancing ants tippy-toe.

Dancing ants jump.

Hormigas bailarinas

cut cut

Las hormigas
bailarinas patinan.

Las hormigas bailarinas giran.

Las hormigas
bailarinas dicen adiós.

cut cut

Las hormigas bailarinas
bailan de puntitas.

Las hormigas
bailarinas saltan.

What's Inside the Circus Tent?

8

1

cut cut

musicians and dancers,

Tricky tigers and prancing horses,

and kids like you and me.

cut

cut

dancing elephants
and smart dogs,

funny clowns and
silly monkeys,

¿Qué hay adentro de la carpa del circo?

cut cut

músicos y bailarines,

Tigres juguetones y
caballos en dos patas,

2

y niños como tú y yo.

7

- - - - - - - - cut - - - - - - - - cut - - - - - - - -

elefantes que bailan
y perros listos,

4

payasos graciosos
y monos tontos,

5

Old MacDonald's Friends

cut cut

She has a gorgeous giant gorilla.

Old MacDonald has a cud-chewing cow.

"Hey! What's a gorilla doing in this story?"

cut ---- cut

She has a pretty pink pig.

She has a hippity-hoppity horse.

Los amigos del viejo *MacDonald*

cut cut

Ella tiene un hermoso
y gigante gorila.

El viejo *MacDonald* tiene
una vaca que rumia.

—¡Oye! ¿Qué hace un gorila en este cuento?

cut cut

Ella tiene un lindo puerco rosado.

Ella tiene un caballo saltarín saltarón.

Alphabet Patterns

The Alphabet Patterns on pages 181–207 match ***The DLM Early Childhood Express*** *Alphabet Wall Cards*. There is a pattern for each letter of the English and Spanish alphabets. The patterns are formatted so children can use them to make their own Takehome Alphabet Books and Letter Books. The patterns also can be used to make Miniature *Alphabet Wall Cards* for each child to take home. In addition, these patterns can be enlarged for use in games or in other types of books.

Following are some suggestions for preparing the Alphabet Patterns for use in books and games. You can choose to have children complete these projects at school and send them home to share with families. Alternatively, materials and instructions can be sent home for family projects.

Takehome Alphabet Books

- Make one photocopy of the pattern for each child. Cut the page in half along the dotted line. Place the half with the picture on top, and fold the left side under the right to form a little book. The Alphabet Pattern—letters, picture, and label—should be on the cover. You might want to staple the book together on the fold.
- Have children color and decorate the cover and complete the book in one of several ways: draw and color objects that begin with the letter; cut and paste pictures from magazines; or draw pictures—or use photos—of children in the class whose names start with the letter, and have those children write their names beneath their images. You might want to have children make books in small groups with each child contributing a page.

Letter Books and Others

Plastic Bag Letter Book

- Photocopy the Alphabet Pattern of the letter on which you are focusing to create a cover for the book. Make one copy for each child, and encourage children to decorate their book covers.
- Make a Plastic Bag Letter Book for each child by stapling 5 self-sealing bags together across the bottoms of the bags. Cover the staples with vinyl tape to create a binding.
- Insert each child's cover into the first bag of one of the books.
- Plastic Bag Letter Books can then be used in different ways. For example, have children draw pictures of items with names that begin with the designated letter, and then insert their drawings into the bags. Encourage children to cut out magazine pictures of items with names that begin with the designated letter. Or you can encourage children to put an object with a name that begins with the designated letter—and is small enough to fit—in each bag.

Gift Bag Letter Book

- Photocopy the Alphabet Pattern of the letter on which you are focusing to create a cover for the book. Make a photocopy for each child. Encourage children to decorate their book covers.
- Cut out the bottom and sides of a small—4" x 6"—gift bag. Untie the gift-bag handles. Glue the designated letter's pattern on one side of the bag to create the front cover. To create the book's inside pages, make hole

punches at the top of four or five sheets of plain paper to match the holes where the gift-bag handles were tied. Insert the inside pages between the front and back covers, and retie the handles, running them through the assembled Gift Bag Letter Book.

- Encourage children to fill the pages by drawing pictures of things with names that begin with the designated letter or by cutting out and pasting magazine pictures of items with names that begin with the designated letter.

My ABC Coloring Book

- Photocopy—and enlarge—all the Alphabet Patterns for each child.
- Staple the pages together on the left side of the patterns, and allow children to color each letter's picture.

All-about-Me Book

- Photocopy the letters that represent the beginning letters of each child's name and use them to make Takehome Alphabet Books—follow the preceding procedure.
- Encourage children to write their names on the first pages of their books. If children are not able to write their names yet, do it for them or ask families to do it. On the remaining pages of their books, have children draw pictures of themselves and of things they like to do.

Miniature *Alphabet Wall Cards*

You can make a set of Miniature *Alphabet Wall Cards* for each child. Photocopy one set of letters for each child, and cut out the patterns uniformly. Encourage children to color the patterns and then take them home to display in their homes.

Games

Here are some games that can be made using the Alphabet Patterns.

Memory Game

Photocopy—and enlarge if desired—two sets of letters. Color them, cut them to a uniform size, and laminate them. Select four pairs of letters, and invite the children to use the cards to play the Memory Game.

What's the Missing Letter?

Make photocopies of the letters—enlarge them if you wish. Color them, cut them to a uniform size, and laminate them. Select five consecutive letters. Lay those letters in alphabetical order on the floor or on a table. Have children name the letters. Shuffle the five cards, and then remove a letter. Lay down the remaining four cards in alphabetical order. Ask children to name the missing letter.

Aa

airplane • avión

cut cut

Bb

bicycle • bicicleta

cut cut

Cc

calendar • calendario

cut cut

Dd

dolphin • delfín

cut cut

Ee

elephant • elefante

cut cut

Ff

flute • flauta

cut cut

garage • garaje

cut cut

helicopter • helicóptero

cut ---------- cut

Ii

island • isla

cut cut

jelly • jalea

cut cut

Kk

koala • koala

cut cut

lemon • limón

cut cut

Mm

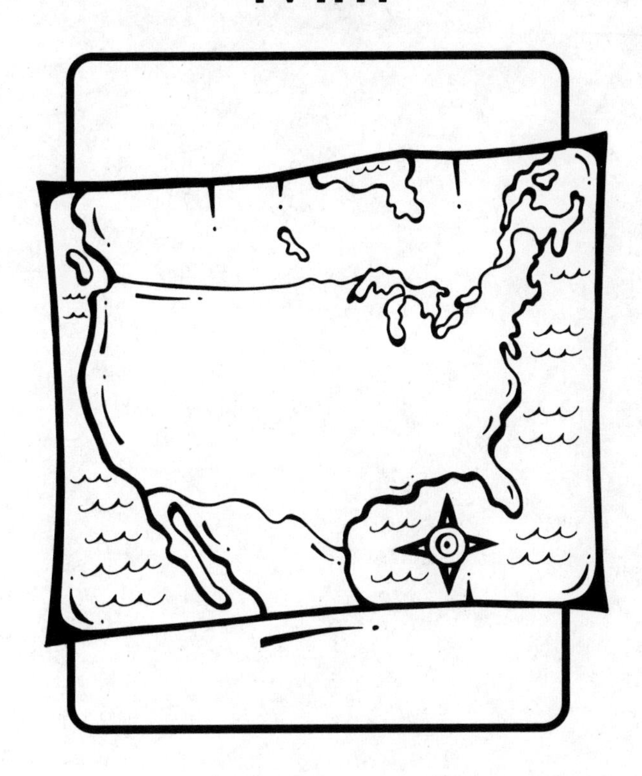

map • mapa

cut cut

Nn

nose • nariz

cut cut

Ññ

ñu

cut cut

Oo

ocean • océan

cut cut

Pp

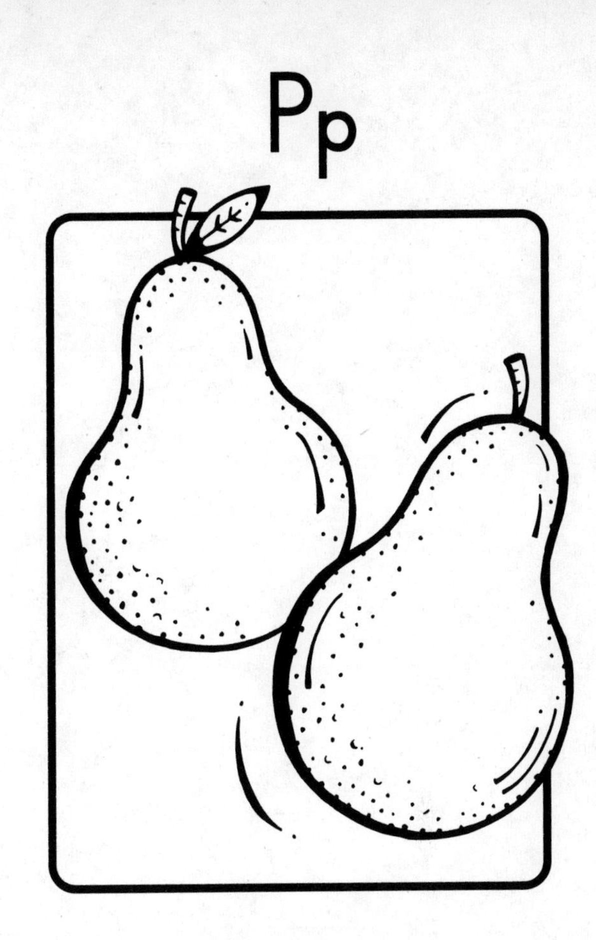

pear • pera

cut ---------- cut

Qq

quiet • quieto

cut cut

Rr

radio • radio

cut cut

Ss

sun • sol

cut -- cut

Tt

telephone • teléfono

cut cut

Uu

unicorn • unicornio

cut cut

violin • violín

cut cut

wagon

cut cut

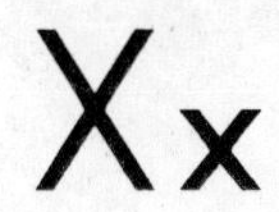

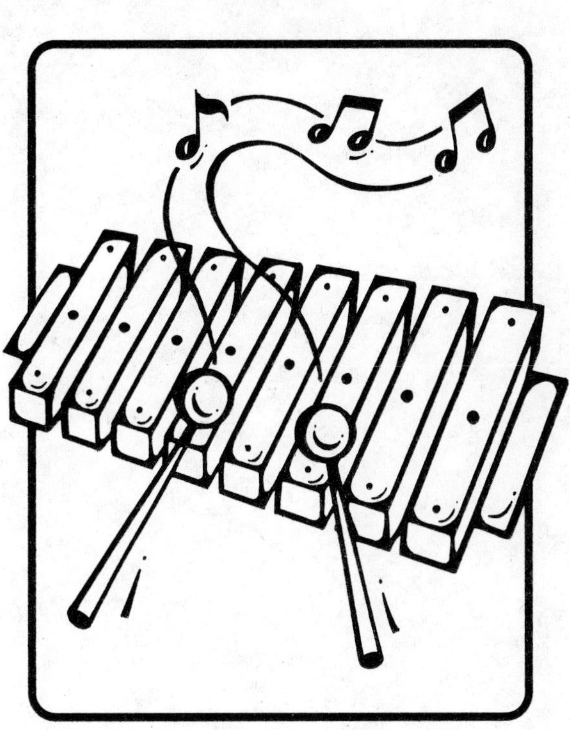

xylophone • xilófono

cut cut

Yy

yo-yo • yoyo

cut cut

Zz

zigzag • zigzag

cut cut